LAROUSSE
Cuisine & Cie

PASTA PARTY !

Édition originale
Cet ouvrage a été publié pour la première fois en 2005
sous le titre *Good Food 101 Pasta & Noodle Dishes*
par BBC Books, une marque de Ebury Publishing,
un département de The Random House Group Ltd.

Toutes les recettes de ce livre ont été publiées
pour la première fois dans BBC Good Food magazine.

Édition française
Direction éditoriale Delphine BLÉTRY
Édition Julie TALLET
Traduction Hélène NICOLAS
Direction artistique Emmanuel CHASPOUL
Réalisation Belle Page, Boulogne
Couverture Véronique LAPORTE
Fabrication Annie BOTREL

Les Éditions Larousse utilisent des papiers composés de fibres naturelles, renouvelables, recyclables et fabriquées à partir de bois issus de forêts qui adoptent un système d'aménagement durable. En outre, les Éditions Larousse attendent de leurs fournisseurs de papier qu'ils s'inscrivent dans une démarche de certification environnementale reconnue.

ISBN : 978-2-03-585928-0
ISSN : 2100-3343

PASTA PARTY !

Jeni Wright

21 rue du Montparnasse 75283 Paris Cedex 06

Sommaire

Introduction 6

À propos des recettes 8

Dîners rapides 10

Plats principaux 46

Recettes végétariennes 76

Gratins de pâtes 116

Nouilles asiatiques 148

Repas légers 180

Index 212

Introduction

À la fois excellentes pour la santé et déclinables pratiquement à l'infini, les pâtes font partie des aliments les plus faciles et les plus rapides à préparer.

On distingue deux catégories de pâtes : les pâtes sèches et les pâtes fraîches. Dans chacune de ces catégories, on trouve des pâtes longues ou courtes, en tubes, en rubans, torsadées ou en forme de coquillage... il en existe plus de 300 variétés. Les pâtes longues seront servies avec des sauces fluides à l'huile qui adhèrent bien à leur texture, et les pâtes courtes s'accommoderont avec les sauces épaisses, les rendant ainsi plus faciles à déguster. Les pâtes à potages sont destinées aux soupes. Les pâtes farcies sont délicieuses lorsqu'elles sont nappées d'une sauce au beurre, à la crème ou aux herbes, puis saupoudrées de parmesan. Les nouilles sont très présentes dans la cuisine asiatique où elles accompagnent des viandes sautées ou des soupes.

Il y en a pour tous les goûts et toutes les occasions : pâtes à la viande, au poisson ou végétariennes, en plat principal ou repas léger, en gratin ou soupe asiatique... Chaque recette est accompagnée d'une analyse nutritionnelle complète qui vous aidera à organiser des repas sains et équilibrés.

À propos des recettes

- Lavez tous les produits frais avant préparation.

- On trouve dans le commerce des petits œufs (de moins de 45 g), des œufs moyens (de 45 à 55 g), des gros œufs (de 55 à 65 g) et des extra-gros (de plus de 65 g). Sauf indication contraire, les œufs utilisés pour les recettes sont de calibre moyen.

- Sauf indication contraire, les cuillerées sont rases.
  1 cuillerée à café = 0,5 cl
  1 cuillerée à soupe = 1,5 cl

- Toutes les recettes réalisées avec des légumes en conserve peuvent, bien sûr, se cuisiner avec des légumes frais, et inversement. De la même manière, il est possible d'utiliser des cubes pour les bouillons de légumes ou de volaille ou de les préparer vous-même, si vous en avez le temps.

TABLEAU INDICATIF DE CUISSON

THERMOSTAT	TEMPÉRATURE
1	30 °C
2	60 °C
3	90 °C
4	120 °C
5	150 °C
6	180 °C
7	210 °C
8	240 °C
9	270 °C
10	300 °C

Ces indications sont valables pour un four électrique traditionnel.
Pour les autres fours, reportez-vous à la notice du fabricant.

TABLEAUX DES ÉQUIVALENCES FRANCE – CANADA

POIDS

55 g	2 onces
100 g	3,5 onces
150 g	5 onces
200 g	7 onces
250 g	9 onces
300 g	11 onces
500 g	18 onces
750 g	27 onces
1 kg	36 onces

Ces équivalences permettent de calculer le poids
à quelques grammes près (en réalité, 1 once = 28 g).

CAPACITÉS

25 cl	9 onces
50 cl	17 onces
75 cl	26 onces
1 l	35 onces

Pour faciliter la mesure des capacités,
25 cl équivalent ici à 9 onces (en réalité, 23 cl = 8 onces = 1 tasse).

Ce plat rapide à préparer peut également se réaliser en remplaçant les lardons et le poulet par du saumon frais. Dans ce cas, faites-le cuire 3 minutes de chaque côté sur le gril.

Penne au poulet et aux lardons

Pour 2 personnes
Préparation et cuisson : 15 min

- 220 g de penne
- 1 cuill. à soupe d'huile d'olive
- 2 blancs de poulet sans la peau
- 100 g de lardons fumés
- 4 cuill. à soupe de vin blanc sec
- 100 g de petits pois surgelés
- 5 cuill. à soupe de crème fraîche épaisse
- sel et poivre du moulin

1 Faites cuire les pâtes 8 à 10 minutes dans une casserole d'eau bouillante salée. Dans une grande poêle antiadhésive, mettez l'huile à chauffer à feu vif, puis faites revenir le poulet et les lardons pendant 4 minutes.

2 Retournez le poulet, remuez les lardons, puis versez le vin dans la poêle et laissez bouillir à feu vif jusqu'à ce que le vin se soit évaporé.

3 Incorporez les petits pois, la crème fraîche et les penne à la viande. Assaisonnez selon votre goût, puis mélangez soigneusement le tout. Couvrez et prolongez la cuisson de 4 minutes. Servez sans attendre.

• Par portion : 639 Calories – Protéines : 48 g – Glucides : 24 g – Lipides : 38 g (dont 17 g de graisses saturées) – Fibres : 3 g – Sel : 1,86 g – Pas de sucres ajoutés.

Cette soupe consistante est facile à adapter en fonction des ingrédients dont vous disposez : lentilles, maïs, épinards...

Minestrone express au pesto

Pour 2 personnes
Préparation et cuisson : 30 min

- 1 oignon
- 2 cuill. à soupe d'huile d'olive
- 800 g de tomates concassées en conserve
- 2 l d'eau
- 1 cuill. à soupe de bouillon de légumes
- 1 cuill. à soupe de pesto
- 1 pincée de sucre en poudre
- 50 g de conchiglione ou d'autres pâtes courtes
- 420 g de légumes en conserve (poids égoutté)
- 200 g de légumes verts surgelés (haricots verts, petits pois...)
- sel et poivre du moulin

POUR SERVIR

- pesto

1 Hachez l'oignon. Dans une grande casserole, mettez l'huile à chauffer, puis faites revenir l'oignon à feu doux jusqu'à ce qu'il soit translucide. Ajoutez les tomates concassées dans la casserole, puis arrosez avec l'eau et saupoudrez de bouillon de légumes. Incorporez le pesto et le sucre à la préparation, puis assaisonnez selon votre goût.

2 Portez à ébullition. Ajoutez les pâtes dans la soupe et laissez mijoter 10 minutes en remuant régulièrement.

3 Incorporez tous les légumes à la préparation, puis portez à ébullition. Couvrez et laissez mijoter 10 minutes, en mélangeant de temps en temps. Rectifiez l'assaisonnement, puis servez avec du pesto.

• Par portion : 256 Calories – Protéines : 12 g – Glucides : 33 g – Lipides : 9 g (dont 2 g de graisses saturées) – Fibres : 9 g – Sel : 2,16 g – Sucres ajoutés : 1 g.

Avec leur forme en coquille et leur taille modeste, les conchiglie retiennent à merveille les sauces cuisinées.

Conchiglie à la tomate et au parmesan

Pour 6 personnes
Préparation et cuisson : 20 min

- 500 g de conchiglie
- 2 gousses d'ail
- 2 cuill. à soupe d'huile d'olive vierge extra
- 30 cl de sauce tomate
- 50 g de beurre
- 1 cuill. à soupe de poivre noir concassé
- 10 cl de crème fraîche liquide
- 1 petite poignée de feuilles de basilic
- 2 cuill. à soupe de vodka (facultatif)
- 3 cuill. à soupe de parmesan râpé
- sel et poivre du moulin

1 Faites cuire les pâtes pendant 12 minutes dans une grande casserole d'eau bouillante salée, puis égouttez-les.

2 Pendant ce temps, hachez l'ail. Dans une grande casserole à feu doux, mettez l'huile à chauffer et faites revenir l'ail jusqu'à ce qu'il soit doré. Versez la sauce tomate dans la casserole, salez, poivrez, puis laissez mijoter 10 minutes.

3 Dans une autre casserole, faites fondre le beurre, puis ajoutez les pâtes, le poivre et mélangez le tout. Sans cesser de remuer, incorporez la préparation à base de sauce tomate, la crème fraîche et le basilic. Versez éventuellement la vodka dans la casserole. Parsemez de parmesan et servez sans attendre.

• Par portion : 476 Calories – Protéines : 13 g – Glucides : 69 g – Lipides : 17 g (dont 8 g de graisses saturées) – Fibres : 3 g – Sel : 0,6 g – Sucres ajoutés : 1 g.

Préparez le pesto en mixant 60 g de basilic avec 70 g de parmesan râpé, 3 cuill. à soupe de pignons de pin, 2 gousses d'ail et 30 cl d'huile d'olive.

Spaghettis au mascarpone et à la roquette

Pour 2 personnes
Préparation et cuisson : 20 min

- 200 g de spaghettis
- 85 g de roquette
- 125 g de mascarpone
- 2 cuill. à soupe bombée de pesto
- poivre noir

POUR SERVIR
- 25 g de parmesan
- quelques pousses d'épinards (facultatif)

1 Faites cuire les spaghettis de 10 à 12 minutes dans une grande casserole d'eau bouillante salée.

2 Pendant ce temps, hachez la moitié de la roquette, puis mettez-la dans un grand saladier, avec les trois quarts du mascarpone et le pesto. Poivrez généreusement et mélangez le tout.

3 Égouttez les spaghettis en réservant un peu d'eau de cuisson, puis transvasez-les dans le saladier et remuez en arrosant le mélange de l'eau de cuisson réservée pour délayer le mascarpone. Incorporez délicatement le reste de la roquette et du mascarpone à la préparation. Râpez le parmesan, puis répartissez les spaghettis dans des bols chauds. Parsemez de parmesan et, si vous le souhaitez, ajoutez des pousses d'épinards, puis servez.

- Par portion : 800 Calories – Protéines : 27 g – Glucides : 79 g – Lipides : 44 g (dont 24,5 g de graisses saturées) – Fibres : 3,8 g – Sel : 0,84 g – Pas de sucres ajoutés.

Choisissez le brie plus ou moins fait
selon que vous aimez les saveurs corsées ou non.

Pâtes au brie et au mesclun

Pour 4 personnes
Préparation et cuisson : 15 min

- 500 g de radiatori ou de fusilli
- 200 g de brie
- 12 tomates séchées
- 2 cuill. à soupe d'huile d'olive vierge extra
- 2 cuill. à café de purée de piments
- sel et poivre du moulin

POUR SERVIR
- 120 g de salades mélangées prêtes à l'emploi (épinards, cresson et roquette)
- 1 filet d'huile d'olive vierge extra

1 Faites cuire les pâtes de 10 à 12 minutes dans une grande casserole d'eau bouillante salée. Pendant ce temps, coupez le brie en dés et les tomates séchées en deux, puis mélangez l'huile d'olive avec la purée de piments dans un bol.

2 Égouttez les pâtes, puis remettez-les dans la casserole. Arrosez-les d'huile pimentée et mélangez bien. Incorporez le brie et les tomates à la préparation, assaisonnez, puis mélangez jusqu'à ce que le fromage commence à fondre.

3 Servez les pâtes dans quatre assiettes chaudes et répartissez la salade par-dessus, arrosez d'un filet d'huile et poivrez.

• Par portion : 693 Calories – Protéines : 26 g – Glucides : 99 g – Lipides : 24 g (dont 9,9 g de graisses saturées) – Fibres : 5,2 g – Sel : 1,13 g – Pas de sucres ajoutés.

Ce plat de pâtes peut également se déguster froid, en salade, mais de préférence sans parmesan.

Rigatoni au poulet et aux épinards

Pour 2 personnes
Préparation et cuisson : 15 min

- 100 g de penne ou de rigatoni
- 100 g de pousses d'épinards
- 2 blancs de poulet cuits sans la peau
- 85 g de tomates cerises
- 2 cuill. à soupe de pesto
- 1 cuill. à café d'huile d'olive
- sel et poivre du moulin

POUR SERVIR

- parmesan râpé en copeaux

1 Faites cuire les pâtes de 8 à 10 minutes dans une grande casserole d'eau bouillante salée. Ajoutez les épinards dans l'eau 1 minute avant la fin du temps de cuisson.

2 Pendant ce temps, coupez le poulet en lamelles et les tomates cerises en deux. Égouttez les pâtes et transvasez-les dans un saladier. Ajoutez le pesto, l'huile d'olive, le poulet et les tomates dans le saladier, puis mélangez le tout.

3 Assaisonnez selon votre goût, parsemez de parmesan et servez sans attendre.

• Par portion : 448 Calories – Protéines : 49 g – Glucides : 40 g – Lipides : 11 g (dont 3,5 g de graisses saturées) – Fibres : 3,1 g – Sel : 0,58 g – Pas de sucres ajoutés.

Les dés de jambon prêts à l'emploi sont très pratiques pour agrémenter un plat de pâtes. Jambon blanc ou fumé, à vous de choisir !

Spaghettis aux petits pois et au jambon

Pour 4 personnes
Préparation et cuisson : 15 min

- 300 g de spaghettis
- 175 g de petits pois surgelés
- 1 gros poireau
- 25 g de beurre
- 4 œufs
- 85 g de cheddar ou de gruyère
- 140 g de dés de jambon
- sel et poivre du moulin

1 Faites cuire les spaghettis de 10 à 12 minutes dans une grande casserole d'eau bouillante salée. Ajoutez les petits pois dans l'eau 3 minutes avant la fin du temps de cuisson.

2 Pendant ce temps, coupez le poireau en rondelles. Dans une petite casserole à feu moyen, faites chauffer le beurre, puis laissez revenir le poireau pendant 3 minutes.

3 Égouttez les spaghettis et les petits pois, puis remettez-les dans la casserole. Battez les œufs dans un saladier, salez, poivrez, puis râpez le fromage. Incorporez les œufs à la préparation avec les dés de jambon, les rondelles de poireau et la moitié du fromage râpé. Rectifiez l'assaisonnement, parsemez du reste de fromage râpé et servez.

• Par portion : 553 Calories – Protéines : 32 g – Glucides : 61 g – Lipides : 22 g (dont 10 g de graisses saturées) – Fibres : 6 g – Sel : 1,67 g – Pas de sucres ajoutés.

Si vous avez le temps, préparez la vinaigrette vous-même en mélangeant 3 cuill. à soupe d'huile d'olive avec 3 cuill. à café de vinaigre balsamique et 1 pincée de sel.

Penne au thon et au piment

Pour 4 personnes
Préparation et cuisson : 20 min

- 400 g de penne
- 2 gousses d'ail
- 1 piment rouge
- 400 g de thon à l'huile d'olive en conserve
- 4 cuill. à soupe de vinaigrette
- poivre du moulin

POUR SERVIR

- 1 gros bouquet de persil

1 Faites cuire les penne de 8 à 10 minutes dans une grande casserole d'eau bouillante salée.

2 Pendant ce temps, pelez l'ail, épépinez le piment, puis hachez-les finement. Égouttez le thon au-dessus d'une petite casserole et réservez la chair du poisson. Versez la vinaigrette dans la casserole, puis réchauffez à feu doux en remuant. Ajoutez le piment et l'ail dans la casserole, mélangez, puis versez la préparation dans un grand saladier chaud. Émiettez le thon en gros morceaux à l'aide d'une fourchette et incorporez-le soigneusement à la sauce pimentée.

3 Égouttez les penne, puis mélangez-les avec la sauce. Hachez finement le persil et parsemez-en les pâtes, poivrez et servez aussitôt.

• Par portion : 779 Calories – Protéines : 34 g – Glucides : 77 g – Lipides : 39 g (dont 6 g de graisses saturées) – Fibres : 3,4 g – Sel : 0,74 g – Sucres ajoutés : 0,2 g.

Le pecorino est un fromage italien au lait de brebis, dont le plus connu, le pecorino romano, présente une saveur piquante caractéristique.

Spaghettis à la carbonara

Pour 4 personnes
Préparation et cuisson : 20 min

- 350 g de spaghettis
- 100 g de pancetta sans couenne (ou de lardons)
- 2 grosses gousses d'ail
- 50 g de beurre
- 50 g de *pecorino*
- 50 g de parmesan
- 3 gros œufs
- sel et poivre du moulin

1 Faites cuire les spaghettis de 10 à 12 minutes dans une grande casserole d'eau bouillante salée. Pendant ce temps, hachez finement la pancetta, puis écrasez l'ail. Dans une grande poêle à feu moyen, faites fondre le beurre et laissez cuire la pancetta avec l'ail pendant 5 minutes. Baissez le feu et jetez l'ail.

2 Égouttez rapidement les pâtes et mettez-les dans la poêle, en réservant l'eau de cuisson dans la casserole.

3 Râpez le pecorino et le parmesan, puis battez les œufs dans un bol et mélangez-les avec les trois quarts du fromage. Salez et poivrez. Arrêtez le feu, puis incorporez le mélange aux spaghettis, en ajoutant quelques cuillerées à soupe de l'eau de cuisson des pâtes pour délayer la sauce. Poivrez, parsemez du reste de fromage râpé et servez.

• Par portion : 655 Calories – Protéines : 32 g – Glucides : 66 g – Lipides : 31 g (dont 16 g de graisses saturées) – Fibres : 3 g – Sel : 2,02 g – Pas de sucres ajoutés.

Si vous êtes pressé, remplacez tout simplement les saucisses par de la chair à saucisse.

Trompetti à la saucisse et aux tomates

Pour 4 personnes
Préparation et cuisson : 25 min

- 400 g de trompetti
- 6 saucisses
- 140 g de tomates séchées
- 1 bonne poignée de persil
- sel et poivre du moulin

1 Faites cuire les pâtes de 8 à 10 minutes dans une grande casserole d'eau bouillante salée, puis égouttez-les.

2 Pendant ce temps, ôtez la peau des saucisses et coupez leur chair en petits morceaux. Égouttez les tomates, réservez l'huile, puis hachez la chair. Dans un wok ou dans une poêle, faites chauffer 1 cuillerée à soupe de l'huile réservée et laissez revenir la chair à saucisse de 6 à 8 minutes. Ajoutez les tomates séchées et le reste de l'huile dans la poêle, puis faites chauffer le tout.

3 Hachez grossièrement le persil. Incorporez les pâtes à la préparation et parsemez de persil. Assaisonnez, puis mélangez le tout et servez dans des assiettes chaudes.

• Par portion : 775 Calories – Protéines : 28 g – Glucides : 86 g – Lipides : 38 g (dont 10 g de graisses saturées) – Fibres : 5 g – Sel : 3,24 g – Pas de sucres ajoutés.

Les pâtes courtes et creuses sont parfaitement adaptées à cette recette, car elles se remplissent de sauce et deviennent ainsi très onctueuses...

Conchiglie aux petits pois et au lard fumé

Pour 2 personnes
Préparation et cuisson : 25 min

- 200 g de conchiglie
- 85 g de petits pois surgelés
- 4 tranches de lard fumé
- 1 petit oignon
- 25 g de beurre
- 15 cl de crème fraîche épaisse
- 20 g de persil plat
- sel et poivre du moulin

1 Faites cuire les pâtes de 8 à 10 minutes dans une grande casserole d'eau bouillante salée. Ajoutez les petits pois dans l'eau 3 minutes avant la fin du temps de cuisson.

2 Dans une poêle antiadhésive, mettez les tranches de lard à griller jusqu'à ce qu'elles soient croustillantes, puis coupez-les en lamelles et réservez. Hachez finement l'oignon, puis laissez fondre le beurre dans une casserole à feu moyen et faites frire l'oignon pendant 5 minutes. Incorporez la crème fraîche, salez, poivrez et laissez mijoter jusqu'à ce que la sauce épaississe légèrement.

3 Égouttez les pâtes et les petits pois en réservant un peu d'eau de cuisson, puis remettez-les dans la casserole et versez la sauce dessus. Remuez en ajoutant éventuellement un peu d'eau de cuisson. Hachez grossièrement le persil, puis incorporez-le au mélange, avec le lard. Rectifiez l'assaisonnement, si nécessaire, et servez sans attendre.

• Par portion : 911 Calories – Protéines : 25 g – Glucides : 84 g – Lipides : 55 g (dont 30,1 g de graisses saturées) – Fibres : 6,2 g – Sel : 1,92 g – Pas de sucres ajoutés.

Si vous le souhaitez, vous pouvez remplacer les courgettes par 100 g de petits pois surgelés.

Spaghettis au pesto et à la tomate

Pour 4 personnes
Préparation et cuisson : 20 min

- 400 g de spaghettis
- 4 tranches de lard
- 2 courgettes
- 250 g de tomates cerises
- 2 cuill. à soupe d'huile d'olive
- 4 cuill. à soupe de pesto

POUR SERVIR
- parmesan râpé

1 Faites cuire les spaghettis de 10 à 12 minutes dans une grande casserole d'eau bouillante salée, puis égouttez-les et réservez 2 cuillerées à soupe d'eau de cuisson.

2 Pendant ce temps, détaillez le lard et les courgettes en morceaux, puis coupez les tomates cerises en deux. Dans une grande poêle, mettez l'huile à chauffer et laissez frire le lard pendant 5 minutes. Ajoutez les légumes dans la poêle, puis laissez cuire 2 ou 3 minutes.

3 Versez l'eau de cuisson réservée dans la poêle, puis incorporez les spaghettis à la préparation. Ajoutez le pesto au mélange et remuez avec soin pour en enrober tous les ingrédients. Servez avec du parmesan râpé.

• Par portion : 512 Calories – Protéines : 19 g – Glucides : 77 g – Lipides : 16 g (dont 4 g de graisses saturées) – Fibres : 4 g – Sel : 0,81 g – Pas de sucres ajoutés.

Si vous n'avez pas de four à micro-ondes, faites cuire l'huile, le jus de citron, les tomates et les anchois dans une casserole à feu doux pendant 3 ou 4 minutes, en remuant à mi-cuisson.

Pâtes au thon à la niçoise

Pour 4 personnes
Préparation et cuisson : 20 min

- 350 g de conchiglie
- 4 cuill. à soupe d'huile d'olive
- 1 cuill. à soupe de jus de citron ou de vinaigre de vin blanc
- 250 g de tomates cerises
- 50 g de filets d'anchois en conserve (poids égoutté)
- 80 g de thon à l'huile en conserve (poids égoutté)
- 1 poignée de ciboulette
- poivre du moulin

1 Faites cuire les pâtes de 8 à 10 minutes dans une grande casserole d'eau bouillante salée.

2 Pendant ce temps, versez l'huile et le jus de citron dans un saladier allant au micro-ondes. Coupez les tomates cerises en deux, hachez les anchois, puis ajoutez-les dans le saladier et remuez délicatement pour les enrober d'huile au citron. Faites cuire 2 minutes 30 au micro-ondes à puissance maximale, en remuant à mi-cuisson, jusqu'à ce que les tomates cerises ramollissent.

3 Égouttez les pâtes et remettez-les dans la casserole. Émiettez le thon, ciselez la ciboulette, puis incorporez le tout aux pâtes avec la préparation aux tomates. Poivrez et servez sans attendre.

• Par portion : 474 Calories – Protéines : 18 g – Glucides : 68 g – Lipides : 16 g (dont 2 g de graisses saturées) – Fibres : 3 g – Sel : 0,94 g – Pas de sucres ajoutés.

Les pâtes fraîches cuisent moins longtemps que les pâtes sèches. Choisissez donc vos pâtes en fonction du temps dont vous disposez et du contenu de votre réfrigérateur.

Spaghettis au chorizo et aux poivrons

Pour 4 personnes
Préparation et cuisson : 15 min

- 80 g de tranches de chorizo
- 2 poivrons rouges en bocal
- 300 g de spaghettis frais
- 2 cuill. à soupe d'huile d'olive
- 1 bonne poignée de persil plat
- 50 g de parmesan
- sel et poivre du moulin

POUR SERVIR (facultatif)
- parmesan râpé

1 Portez de l'eau salée à ébullition dans une grande casserole. Pendant ce temps, détaillez le chorizo en lamelles et coupez les poivrons en morceaux.

2 Plongez les spaghettis dans l'eau bouillante. Remuez, portez à ébullition et laissez cuire 3 minutes.

3 Dans une grande poêle, mettez l'huile à chauffer, puis ajoutez le chorizo et les poivrons. Poivrez généreusement et laissez cuire pendant 1 minute.

4 Égouttez les spaghettis en réservant 15 cl d'eau de cuisson, puis incorporez les pâtes à la préparation. Ciselez le persil, râpez le parmesan et ajoutez-les au mélange. Remuez bien, puis arrosez de l'eau de cuisson réservée pour humecter le tout. Saupoudrez de parmesan râpé, si vous le souhaitez, et servez.

• Par portion : 444 Calories – Protéines : 18 g – Glucides : 46 g – Lipides : 22 g (dont 6 g de graisses saturées) – Fibres : 3 g – Sel : 2,21 g – Pas de sucres ajoutés.

Les tortellini peuvent être farcis à la viande, au fromage, aux épinards ou autres légumes... profitez-en pour varier les plaisirs !

Tortellini aux tomates et au persil

Pour 2 personnes
Préparation et cuisson : 10 à 15 min

- 250 g de tortellini aux épinards et à la ricotta
- 1 cuill. à soupe d'huile d'olive
- 250 g de tomates cerises
- 40 g de persil
- 3 cuill. à soupe de parmesan râpé
- sel et poivre du moulin

1 Faites cuire les tortellini pendant 2 minutes dans de l'eau bouillante salée, puis égouttez-les et réservez 2 cuillerées à soupe d'eau de cuisson.

2 Mettez l'huile à chauffer dans une poêle et laissez rissoler les tomates cerises jusqu'à ce que leur peau se fende.

3 Ciselez grossièrement le persil. Augmentez le feu sous la poêle, puis incorporez les tortellini, l'eau de cuisson réservée, le persil et les trois quarts du parmesan aux tomates. Laissez bouillonner le mélange quelques minutes, puis assaisonnez selon votre goût. Servez avec le reste du parmesan.

• Par portion : 482 Calories – Protéines : 18 g – Glucides : 62 g – Lipides : 20 g (dont 8 g de graisses saturées) – Fibres : 4 g – Sel : 1,5 g – Pas de sucres ajoutés.

La sauce tomate aux palourdes est vendue en bocal dans les épiceries italiennes et au rayon «produits du monde» de certaines grandes surfaces.

Spaghettis aux palourdes et à la tomate

Pour 2 personnes
Préparation et cuisson : 15 à 20 min

- 175 g de spaghettis
- 1 gousse d'ail
- 260 g de sauce tomate aux palourdes
- 1 filet de vin
- 1 poignée de persil
- poivre du moulin

POUR SERVIR (facultatif)
- parmesan râpé

1 Faites cuire les spaghettis pendant 12 minutes dans une grande casserole d'eau bouillante salée.

2 Pendant ce temps, pelez l'ail, puis écrasez-le. Dans une petite casserole, réunissez la sauce tomate aux palourdes, le vin, l'ail et faites mijoter le tout quelques minutes à feu moyen. Hachez grossièrement le persil, puis incorporez-le à la préparation et poivrez généreusement.

3 Égouttez les spaghettis et mettez-les dans un saladier chaud. Versez le contenu de la casserole dans le saladier, remuez, et servez sans attendre avec, éventuellement, du parmesan râpé.

• Par portion : 385 Calories – Protéines : 19 g – Glucides : 72 g – Lipides : 3 g (pas de graisses saturées) – Fibres : 3 g – Sel : 2,17 g – Pas de sucres ajoutés.

Les pappardelle ressemblent à de larges tagliatelles ; ces dernières peuvent d'ailleurs également être utilisées pour cette recette.

Pappardelle aux épinards et au lard grillé

Pour 4 personnes
Préparation et cuisson : 25 min

- 300 g de pappardelle
- 1 citron non traité
- 3 cuill. à soupe d'huile d'olive
- 4 tranches de lard
- 50 g de pignons de pin
- 225 g de pousses d'épinards
- sel et poivre du moulin

POUR SERVIR
- huile d'olive

1 Faites cuire les pâtes de 10 à 12 minutes dans une grande casserole d'eau bouillante salée. Râpez le zeste du citron et pressez le fruit. Dans un bol, mélangez 2 cuillerées à soupe du jus de citron avec le zeste, puis versez l'huile d'olive et remuez. Salez, poivrez et réservez.

2 Coupez le lard en lamelles et faites-les griller à sec dans une poêle antiadhésive jusqu'à ce qu'elles soient dorées. Ajoutez les pignons de pin dans la poêle et prolongez la cuisson jusqu'à ce qu'ils soient dorés.

3 Égouttez les pâtes et remettez-les dans la casserole. Équeutez les pousses d'épinards, incorporez les feuilles aux pâtes et remuez délicatement jusqu'à ce qu'elles aient fondu. Ajoutez le lard, les pignons et la sauce au citron dans la casserole. Mélangez délicatement, puis assaisonnez selon votre goût. Arrosez d'un filet d'huile d'olive, poivrez et servez.

• Par portion : 495 Calories – Protéines : 16 g – Glucides : 59 g – Lipides : 23 g (dont 4 g de graisses saturées) – Fibres : 4 g – Sel : 0,86 g – Pas de sucres ajoutés.

Pour mélanger plus facilement ces pâtes longues et plates avec le thon à la tomate, versez seulement la moitié de la préparation dans la sauteuse et répartissez le reste dans les bols au moment de servir.

Linguine au thon et à la tomate

Pour 4 personnes
Préparation et cuisson : 30 min

- 375 g de linguine
- 2 gousses d'ail
- 1 morceau de gingembre de 1 cm
- 1 piment rouge
- 4 cuill. à soupe d'huile d'olive vierge extra
- 3 cuill. à soupe de persil plat haché
- 450 g de sauce tomate
- 400 g de thon à l'huile en conserve (poids égoutté)
- sel et poivre du moulin

1 Faites cuire les pâtes de 10 à 12 minutes dans une grande casserole d'eau bouillante salée. Pelez l'ail et le gingembre, puis hachez-les. Épépinez le piment et hachez-le. Mettez l'huile à chauffer dans une sauteuse, puis faites frire 2 cuillerées à soupe de persil avec l'ail, le piment et le gingembre quelques minutes, jusqu'à ce qu'ils ramollissent. Versez la sauce tomate dans la sauteuse et prolongez la cuisson de quelques minutes.

2 Détaillez le thon en morceaux, ajoutez-les à la préparation et mélangez bien. Salez, poivrez, puis laissez mijoter 10 minutes.

3 Égouttez les linguine, remettez-les dans la casserole, puis incorporez le contenu de la sauteuse aux pâtes. Parsemez du reste de persil et servez.

• Par portion : 615 Calories – Protéines : 35 g – Glucides : 78 g – Lipides : 20 g (dont 3 g de graisses saturées) – Fibres : 3 g – Sel : 1,2 g – Sucres ajoutés : 2 g.

Si vous avez envie de poisson, remplacez les blancs de poulet de cette recette par des filets de saumon.

Pappardelle au poulet et à l'estragon

Pour 3 personnes
Préparation et cuisson : 20 min

- 250 g de pappardelle
- 2 blancs de poulet sans la peau
- 2 gousses d'ail
- 2 cuill. à soupe d'huile d'olive
- 15 cl de crème fraîche liquide
- 3 cuill. à soupe d'estragon haché
- 100 g d'épinards
- sel et poivre du moulin

POUR SERVIR (facultatif)
- quartiers de citron

1 Faites cuire les pâtes de 8 à 10 minutes dans une grande casserole d'eau bouillante salée.

2 Pendant ce temps, coupez le poulet en aiguillettes, puis hachez l'ail. Mettez l'huile à chauffer dans une grande poêle à feu vif et faites revenir le poulet pendant 4 ou 5 minutes.

3 Prélevez 3 cuillerées à soupe de l'eau de cuisson des pâtes et versez-les dans la poêle. Ajoutez l'ail, la crème fraîche et l'estragon, puis mélangez bien le tout et laissez chauffer à feu doux.

4 Environ 1 minute avant la fin de la cuisson des pâtes, plongez les épinards dans la casserole. Égouttez-les soigneusement avec les pappardelle, puis incorporez l'ensemble au poulet à la crème. Assaisonnez et servez éventuellement avec des quartiers de citron.

• Par portion : 560 Calories – Protéines : 35 g – Glucides : 65 g – Lipides : 19 g (dont 7 g de graisses saturées) – Fibres : 3 g – Sel : 0,58 g – Pas de sucres ajoutés.

Les mafaldine sont des pâtes longues qui s'apparentent à des tagliatelles ondulées. Elles doivent leur nom à la princesse Mafalda de Savoie.

Mafaldine et filet de porc aux pignons de pin

Pour 4 personnes
Préparation et cuisson : 30 min

- 4 cuill. à soupe de farine
- 500 g de filet de porc
- 2 cuill. à soupe d'huile d'olive
- 300 g de mafaldine
- 25 g de pignons de pin
- 1 citron non traité
- 1 cuill. à soupe de miel liquide
- 1 bonne poignée de persil plat
- sel et poivre du moulin

1 Assaisonnez la farine et saupoudrez-en un plan de travail. Coupez le porc en tranches de 2 cm d'épaisseur. Roulez les tranches dans la farine, puis tapotez-les pour en ôter l'excédent. Dans une grande poêle, faites chauffer la moitié de l'huile et laissez rissoler les tranches de porc 3 minutes de chaque côté. Réservez au chaud.

2 Faites cuire les pâtes de 8 à 10 minutes dans une grande casserole d'eau bouillante salée. Pendant ce temps, versez le reste de l'huile dans la poêle et faites revenir les pignons de pin jusqu'à ce qu'ils soient dorés. Râpez le zeste d'un demi-citron et pressez le fruit entier. Versez le jus dans la poêle avec le miel et saupoudrez du zeste de citron. Portez à petite ébullition en remuant constamment, jusqu'à l'obtention d'une sauce onctueuse.

3 Remettez la viande dans la poêle, ciselez le persil et parsemez-en le porc. Prolongez la cuisson de 3 minutes, en retournant les tranches à mi-cuisson. Égouttez les pâtes et servez-les avec la viande.

• Par portion : 566 Calories – Protéines : 38 g – Glucides : 64 g – Lipides : 19 g (dont 4,4 g de graisses saturées) – Fibres : 2,7 g – Sel : 0,44 g – Sucres ajoutés : 2,9 g.

Utilisez des champignons de Paris émincés en conserve pour gagner du temps.

Penne aux champignons et au fromage

Pour 4 personnes

Préparation et cuisson : 25 min

- 400 g de penne rigate
- 1 cuill. à café d'huile d'olive
- 225 g de gros champignons de Paris
- 350 g de sauce aux quatre fromages
- 250 g de pousses d'épinards
- 25 g de cerneaux de noix
- 50 g de bleu
- poivre du moulin

1 Préchauffez le gril du four. Faites cuire les pâtes pendant 10 minutes dans une grande casserole d'eau bouillante salée. Mettez l'huile à chauffer dans une poêle, puis coupez les champignons en lamelles et laissez-les revenir 5 minutes dans l'huile.

2 Ajoutez la sauce aux quatre fromages et les épinards dans la poêle, puis laissez cuire jusqu'à ce que les épinards aient légèrement fondu. Égouttez les pâtes, incorporez-les au mélange et poivrez le tout.

3 Transvasez la préparation dans un grand plat allant au four. Concassez les noix, émiettez le bleu, puis répartissez-les sur le plat. Enfournez et laissez cuire de 5 à 8 minutes, jusqu'à ce que le fromage bouillonne.

• Par portion : 639 Calories – Protéines : 24 g – Glucides : 83 g – Lipides : 25 g (dont 10 g de graisses saturées) – Fibres : 6 g – Sel : 1,31 g – Pas de sucres ajoutés.

Faites cuire les filets de saumon à l'avance,
15 minutes à la vapeur ou au four.

Spaghettis au saumon et à la roquette

Pour 4 à 6 personnes
Préparation et cuisson : 30 min

- 15 cl d'huile d'olive vierge extra
- 25 g de chapelure
- 500 g de spaghettis
- 2 gousses d'ail
- 2 petits piments séchés ou 1 pincée de piment en poudre
- 1 citron non traité
- 4 cuill. à soupe de câpres rincées, puis essuyées
- 200 g de filets de saumon cuits
- 85 g de roquette

1 Dans une petite poêle à feu doux, faites chauffer 2 cuillerées à soupe d'huile, puis mettez la chapelure à frire pendant 4 minutes en remuant régulièrement. Transférez-la dans un bol.

2 Faites cuire les pâtes de 10 à 12 minutes dans une grande casserole d'eau bouillante salée. Pendant ce temps, hachez l'ail et les piments, puis réunissez-les dans une sauteuse avec le reste d'huile et laissez cuire à feu doux – l'ail ne doit pas frire.

3 Égouttez les pâtes, puis transvasez-les dans un grand saladier chaud. Râpez finement le zeste de citron et mettez-le dans la sauteuse avec les câpres. Mélangez rapidement, versez le tout sur les pâtes et remuez. Émiettez le saumon au-dessus des pâtes, puis incorporez-le délicatement à la préparation avec la roquette. Parsemez de chapelure et servez sans attendre.

• Par portion (pour 4 personnes) : 796 Calories – Protéines : 28 g – Glucides : 99 g – Lipides : 35 g (dont 5,3 g de graisses saturées) – Fibres : 4,5 g – Sel : 2,41 g – Pas de sucres ajoutés.

Cette sauce accompagne traditionnellement des spaghettis ou des tagliatelles, mais vous pouvez également en farcir des raviolis faits maison.

Sauce bolognaise

Pour 4 à 6 personnes
Préparation et cuisson : 2h45

- 1 oignon
- 1 branche de céleri
- 2 gousses d'ail
- 1 carotte
- 85 g de pancetta
- 2 cuill. à soupe d'huile d'olive
- 250 g de bœuf haché
- 250 g de porc haché
- 30 cl de lait entier
- 30 cl de vin blanc ou rouge
- 2 cuill. à soupe de purée de tomates
- 800 g de tomates concassées en conserve
- 80 cl d'eau
- 2 cuill. à café de fines herbes séchées
- sel et poivre du moulin

POUR SERVIR (facultatif)

- 350 g de tagliatelles
- parmesan râpé

1 Émincez l'oignon et le céleri, puis écrasez l'ail. Détaillez la carotte et la pancetta en petits dés. Dans une sauteuse à feu doux, mettez l'huile à chauffer, puis faites cuire les légumes avec l'ail et la pancetta de 8 à 10 minutes. Ajoutez la viande hachée et faites-la revenir en l'émiettant, si nécessaire, à l'aide d'une cuillère en bois.

2 Versez le lait dans la sauteuse, mélangez et laissez mijoter de 10 à 15 minutes, jusqu'à ce qu'il soit presque évaporé, puis répétez l'opération avec le vin. Incorporez la purée de tomates et les tomates concassées à la préparation, versez l'eau et ajoutez les fines herbes. Assaisonnez et portez à ébullition en mélangeant constamment. Laissez mijoter 2 heures à demi-couvert à feu doux, en remuant de temps en temps. Rectifiez l'assaisonnement, puis servez éventuellement la sauce bolognaise avec des pâtes et du parmesan.

• Par portion (pour 4 personnes) : 824 Calories – Protéines : 45 g – Glucides : 81 g – Lipides : 32 g (dont 11,9 g de graisses saturées) – Fibres : 6,1 g – Sel : 1,91 g – Pas de sucres ajoutés.

Utilisez des tomates fraîches et bien mûres
pour préparer cette recette, elle n'en sera que meilleure !

Pappardelle et agneau à la sicilienne

Pour 6 personnes
Préparation et cuisson : 1 h 10

- 1 gros oignon
- 2 piments rouges
- 2 poivrons rouges
- 1 kg de tomates mûres
- 2 gousses d'ail
- 5 cuill. à soupe d'huile d'olive
- 1 kg de filet d'agneau dégraissé
- 50 g de pignons de pin
- 500 g de pappardelle
- 5 cuill. à soupe de menthe fraîchement hachée
- 2 cuill. à soupe de persil haché
- sel et poivre du moulin

1 Préchauffez le four à 200 °C (therm. 6-7). Pelez l'oignon, hachez-le grossièrement, puis épépinez les piments avec les poivrons et hachez-les. Coupez les tomates en deux, pelez l'ail, puis réunissez tous les ingrédients dans un plat à rôtir. Arrosez de 2 cuillerées à soupe d'huile, salez, poivrez, puis enfournez pour 25 minutes. Transvasez les légumes et leur jus de cuisson dans le bol d'un robot et mixez-les jusqu'à l'obtention d'une sauce grumeleuse.

2 Coupez l'agneau en tranches de 2 cm d'épaisseur, puis faites griller les pignons de pin à sec dans une poêle antiadhésive. Mettez 2 cuillerées à soupe d'huile à chauffer dans une sauteuse à feu vif, puis faites revenir l'agneau. Baissez le feu, versez la sauce sur la viande et laissez mijoter 30 minutes à découvert.

3 Pendant ce temps, faites cuire les pâtes de 10 à 12 minutes dans une grande casserole d'eau bouillante salée. Égouttez-les et remettez-les dans la casserole avec les pignons de pin, les fines herbes et le reste de l'huile. Assaisonnez, mélangez, puis servez avec la viande en sauce.

• Par portion : 864 Calories – Protéines : 46 g – Glucides : 72 g – Lipides : 46 g (dont 14 g de graisses saturées) – Fibres : 3,2 g – Sel : 0,69 g – Pas de sucres ajoutés.

Pour une recette végétarienne,
remplacez les saucisses par des champignons.

Penne aux saucisses et aux petits pois

Pour 4 personnes
Préparation et cuisson : 15 min

- 300 g de penne rigate
- 100 g de petits pois surgelés
- 1 cuill. à soupe d'huile d'olive
- 8 saucisses de porc
- 1 pincée de piment en poudre
- le zeste de 1 citron non traité
- 1 cuill. à soupe de moutarde
- 200 g de crème fraîche allégée
- 1 poignée de feuilles de basilic
- sel et poivre du moulin

1 Faites cuire les pâtes de 8 à 10 minutes dans une grande casserole d'eau bouillante salée. Ajoutez les petits pois dans l'eau 3 minutes avant la fin du temps de cuisson.

2 Mettez l'huile à chauffer dans une poêle. Découpez la peau des saucisses, prélevez la chair et faites-la revenir dans l'huile pendant 3 ou 4 minutes.

3 Ajoutez le piment et le zeste de citron dans la poêle, puis prolongez la cuisson de 1 minute. Incorporez la moutarde et la crème fraîche à la préparation, puis laissez mijoter 2 minutes. Égouttez les pâtes et les petits pois, puis versez-les dans la poêle. Assaisonnez généreusement et mélangez délicatement le tout. Froissez les feuilles de basilic, ajoutez-les au plat, remuez et servez.

- Par portion : 665 Calories – Protéines : 28 g – Glucides : 68 g – Lipides : 33 g (dont 23 g de graisses saturées) – Fibres : 4 g – Sel : 2,43 g – Pas de sucres ajoutés.

La saison des fèves fraîches est très courte – de juin à juillet; le reste de l'année, utilisez tout simplement des fèves surgelées.

Poulet et tagliatelles aux fèves

Pour 4 personnes

Préparation et cuisson : 50 min

- 4 ailes ou blancs de poulet
- 2 cuill. à soupe d'huile d'olive
- 4 tranches de pancetta ou de lard
- 140 g champignons
- 2 gousses d'ail
- 2 cuill. à soupe de persil haché
- 350 g de tagliatelles
- 250 g de fèves surgelées
- 1 botte d'oignons nouveaux
- 4 cuill. à soupe de crème fraîche
- sel et poivre du moulin

1 Préchauffez le four à 190 °C (therm. 6-7). Huilez un plat allant au four et disposez le poulet à l'intérieur. Mettez l'huile à chauffer dans une poêle, puis coupez les tranches de pancetta en deux et faites-les frire dans l'huile jusqu'à ce qu'elles soient croustillantes. Ôtez-les de la poêle et réservez.

2 Émincez les champignons et faites-les dégorger dans la poêle à feu doux. Écrasez l'ail, incorporez-le aux champignons, puis assaisonnez et prolongez la cuisson jusqu'à ce que le jus des champignons se soit évaporé. Saupoudrez de persil haché et mélangez délicatement. Répartissez la préparation et les tranches de pancetta sur le poulet, puis enfournez pour 20 minutes.

3 Pendant ce temps, faites cuire les pâtes de 10 à 12 minutes dans une grande casserole d'eau bouillante salée. Ajoutez les fèves dans l'eau 3 minutes avant la fin du temps de cuisson. Lavez les oignons nouveaux, puis hachez-les. Égouttez les pâtes et les fèves, puis remettez-les dans la casserole avec les oignons et la crème fraîche. Assaisonnez, mélangez, puis disposez les blancs de poulet sur les pâtes et servez.

• Par portion : 665 Calories – Protéines : 53 g – Glucides : 73 g – Lipides : 20 g (dont 6,9 g de graisses saturées) – Fibres : 7,5 g – Sel : 1,02 g – Pas de sucres ajoutés.

La saison des asperges coïncide avec celle des fèves, ne ratez pas l'occasion de les cuisiner toutes fraîches !

Fusilli au saumon et aux asperges

Pour 4 personnes
Préparation et cuisson : 45 min

- 6 oignons nouveaux
- 25 g de beurre
- 6 cuill. à soupe de vin blanc ou de vermouth
- 200 g de crème fraîche
- 1 pincée de noix de muscade
- 1 filet de jus de citron
- 2 cuill. à soupe d'aneth ciselée
- 175 g de fèves écossées (700 g non écossées)
- 175 g d'asperges vertes
- 350 g de fusilli bucati
- 100 g de saumon fumé
- sel et poivre du moulin

1 Lavez les oignons, puis émincez-les. Dans une casserole, faites fondre le beurre et mettez les oignons à revenir pendant 1 minute. Versez le vin dans la casserole, portez à ébullition et laissez réduire jusqu'à l'obtention de 2 cuillerées à soupe de liquide. Assaisonnez, ajoutez la crème fraîche et la noix de muscade, puis portez à ébullition et laissez mijoter 2 ou 3 minutes. Incorporez le jus de citron, l'aneth et réservez le mélange.

2 Faites blanchir les fèves 3 minutes dans une casserole d'eau bouillante salée, puis égouttez-les. Rafraîchissez-les sous l'eau froide et laissez-les égoutter. Pelez les asperges et les fèves.

3 Coupez les asperges en deux ou trois morceaux. Faites cuire les pâtes de 10 à 12 minutes dans une grande casserole d'eau bouillante salée. Ajoutez les asperges dans l'eau 3 minutes avant la fin du temps de cuisson, puis égouttez en réservant un peu d'eau de cuisson. Détaillez le saumon en dés et incorporez-les aux pâtes avec les asperges, les fèves et la sauce dans un grand saladier, en ajoutant, si nécessaire, 1 ou 2 cuillerées d'eau de cuisson des pâtes, puis servez.

• Par portion : 626 Calories – Protéines : 22 g – Glucides : 71 g – Lipides : 29 g (dont 16 g de graisses saturées) – Fibres : 6 g – Sel : 1,35 g – Pas de sucres ajoutés.

Pour une recette plus légère,
optez pour de la dinde hachée.

Spaghettis à la sauce bolognaise express

Pour 4 personnes
Préparation et cuisson : 1 h

- 1 oignon
- 1 branche de céleri
- 2 gousses d'ail
- 2 cuill. à soupe d'huile d'olive
- 450 g de bœuf maigre haché
- 2 cuill. à soupe de purée de tomates séchées
- 400 g de tomates concassées en conserve
- 15 cl de bouillon de bœuf
- 350 g de spaghettis
- 50 g d'olives noires dénoyautées
- 1 poignée de feuilles de basilic
- sel et poivre du moulin

1 Hachez finement l'oignon et le céleri, puis écrasez l'ail. Mettez l'huile à chauffer dans une grande poêle à feu doux et faites frire les oignons avec le céleri pendant 5 minutes. Ajoutez le bœuf et prolongez la cuisson de 4 minutes, en émiettant la viande. Incorporez la purée de tomates et les tomates concassées au mélange, puis versez le bouillon de bœuf et portez à ébullition. Assaisonnez, couvrez et laissez mijoter à feu doux 40 minutes, en remuant régulièrement.

2 Pendant ce temps, faites cuire les spaghettis de 10 à 12 minutes dans une grande casserole d'eau bouillante salée.

3 Hachez les olives noires, froissez les feuilles de basilic, puis incorporez-les à la sauce. Égouttez les spaghettis, mélangez-les avec la sauce et servez sans attendre.

• Par portion : 594 Calories – Protéines : 37 g – Glucides : 69 g – Lipides : 20 g (dont 5,7 g de graisses saturées) – Fibres : 4 g – Sel : 0,69 g – Pas de sucres ajoutés.

La crème aigre soutient le goût relevé du paprika.

Bœuf stroganov et tagliatelles au persil

Pour 2 personnes
Préparation et cuisson : 30 min

- 1 oignon
- 2 steaks de bœuf
- 1 gousse d'ail
- 2 cuill. à soupe d'huile d'olive
- 1 cuill. à café de paprika
- 1 cuill. à soupe de purée de tomates
- 30 cl de bouillon de bœuf
- 175 g de tagliatelles
- 1 poignée de persil plat
- 1 noix de beurre
- 12 cl de crème aigre (ou crème fraîche additionnée de quelques gouttes de jus de citron)
- sel et poivre du moulin

POUR SERVIR

- 2 cuill. à soupe de crème aigre (ou crème fraîche additionnée de quelques gouttes de jus de citron)
- 2 pincées de paprika

1 Émincez l'oignon, coupez la viande en dés de 2 cm de côté, puis écrasez l'ail. Mettez l'huile à chauffer dans une poêle à feu doux et faites revenir l'oignon jusqu'à ce qu'il soit translucide. Ajoutez la viande et l'ail dans la poêle. Augmentez le feu, puis laissez cuire à feu vif jusqu'à ce que la viande soit brune de tous les côtés. Baissez le feu, puis incorporez le paprika, la purée de tomates et le bouillon de bœuf au mélange. Salez, poivrez et laissez mijoter 10 minutes à feu doux.

2 Pendant ce temps, faites cuire les tagliatelles de 8 à 10 minutes dans une grande casserole d'eau bouillante salée. Hachez le persil. Égouttez les pâtes, puis remettez-les dans la casserole, avec le beurre et le persil.

3 Versez la crème aigre sur la viande et laissez cuire à feu doux pendant quelques minutes. Répartissez la viande en sauce et les pâtes dans les assiettes. Nappez de crème aigre, saupoudrez de paprika, puis servez.

• Par portion : 895 Calories – Protéines : 58 g – Glucides : 77 g – Lipides : 42 g (dont 17,1 g de graisses saturées) – Fibres : 4 g – Sel : 0,91 g – Pas de sucres ajoutés.

Les végétariens peuvent remplacer le poulet par 400 g de pois chiches (poids égoutté). Dans ce cas, incorporez les pois chiches à la préparation 5 minutes avant la fin du temps de cuisson.

Rigatoni au chèvre et au poulet

Pour 4 personnes
Préparation et cuisson : 40 min

- 2 blancs de poulet sans la peau
- 1 oignon rouge
- 1 poivron rouge
- 2 gousses d'ail non pelées
- 3 cuill. à soupe d'huile d'olive
- 300 g de rigatoni
- 200 g de tomates cerises
- 4 cuill. à soupe de pesto
- 100 g de chèvre ferme ou de feta
- sel et poivre du moulin

1 Préchauffez le four à 200 °C (therm. 6-7). Coupez le poulet en gros morceaux et l'oignon en huit quartiers. Épépinez le poivron, puis détaillez-le en huit lamelles. Dans un plat à rôtir, réunissez l'ail, le poulet, l'oignon et le poivron, puis arrosez-les d'huile. Salez, poivrez et mélangez l'ensemble, puis enfournez pour 20 minutes.

2 Pendant ce temps, faites cuire les pâtes de 8 et 10 minutes dans une grande casserole d'eau bouillante salée, puis égouttez-les bien.

3 Sortez le plat du four. Recueillez la pulpe des gousses d'ail à l'aide d'une cuillère, puis écrasez-la dans le plat. Coupez les tomates cerises en deux et incorporez-les aux légumes, avec les pâtes et le pesto. Émiettez le fromage sur le plat, puis rectifiez l'assaisonnement selon votre goût et servez.

• Par portion : 605 Calories – Protéines : 34 g – Glucides : 64 g – Lipides : 26 g (dont 9 g de graisses saturées) – Fibres : 4 g – Sel : 0,78 g – Pas de sucres ajoutés.

Le pesto permet au poivre de bien adhérer
sur les blancs de poulet.

Poulet et fettuccine au poivron

Pour 2 personnes
Préparation et cuisson : 35 min

- 2 blancs de poulet sans la peau
- 2 cuill. à soupe de pesto
- 2 cuill. à soupe de parmesan râpé
- 2 cuill. à café de farine
- 175 g de fettuccine
- 1 poivron rouge
- 2 cuill. à soupe d'huile d'olive vierge extra
- poivre du moulin

1 Préchauffez le four à 200 °C (therm. 6-7). Entaillez le dessus des blancs de poulet, puis badigeonnez-les de pesto en le faisant pénétrer dans les entailles. Dans un bol, mélangez le parmesan avec la farine et une bonne quantité de poivre, puis appliquez le tout sur le pesto, avec les doigts. Enfournez pour 20 minutes.

2 Pendant ce temps, faites cuire les fettuccine de 8 à 10 minutes dans une grande casserole d'eau bouillante salée.

3 Égouttez les pâtes et remettez-les dans la casserole. Épépinez le poivron, coupez-le en fines lamelles, puis ajoutez-les dans la casserole avec l'huile d'olive et mélangez le tout. Tranchez les blancs de poulet le long des entailles, disposez-les sur les fettuccine, puis servez.

• Par portion : 670 Calories – Protéines : 52 g – Glucides : 74 g – Lipides : 21 g (dont 5,4 g de graisses saturées) – Fibres : 2,9 g – Sel : 0,6 g – Pas de sucres ajoutés.

Laissez macérer 1 bonne pincée de pistils de safran dans 2 cuill. à soupe d'eau bouillante et vous obtiendrez l'infusion de safran.

Paëlla aux tagliatelles

Pour 6 personnes

Préparation et cuisson : 1 h 15

- 3 cuill. à soupe d'huile d'olive
- 3 blancs de poulet sans la peau
- 1 oignon
- 2 gousses d'ail
- 2 poivrons rouges
- 2 feuilles de laurier
- 175 g de petits pois
- 175 g de fèves
- 15 cl de vin blanc
- 650 g de moules fraîches
- 400 g de tagliatelles
- 2 cuill. à soupe d'infusion de safran
- 45 cl de bouillon de poulet
- 450 g de grosses crevettes crues décortiquées
- 30 cl de crème fraîche épaisse
- 1 poignée de persil plat
- sel et poivre du moulin

1 Mettez l'huile à chauffer dans une grande poêle. Coupez le poulet en dés et faites-les revenir 4 ou 5 minutes dans la poêle. Hachez l'oignon, écrasez l'ail, puis épépinez les poivrons et coupez-les en lamelles. Ajoutez le tout dans la poêle avec le laurier et laissez cuire 5 minutes. Incorporez les petits pois et les fèves au mélange, puis faites frire l'ensemble 3 minutes.

2 Dans une grande casserole, portez le vin à petite ébullition. Ajoutez les moules, couvrez et laissez cuire de 3 à 5 minutes. Égouttez au-dessus d'un saladier, récupérez le jus de cuisson, puis jetez les moules fermées et réservez les autres.

3 Faites cuire les pâtes de 8 à 10 minutes dans une grande casserole d'eau bouillante salée. Pendant ce temps, versez l'infusion de safran dans la poêle avec le bouillon de poulet et le jus de cuisson des moules. Portez à ébullition, ajoutez les crevettes et la crème fraîche, puis laissez cuire 4 minutes. Hachez le persil, puis incorporez-le à la préparation avec les moules. Salez, poivrez et réchauffez le tout. Égouttez les pâtes, mélangez-les à la paëlla et servez.

• Par portion : 724 Calories – Protéines : 49 g – Glucides : 57 g – Lipides : 33 g (dont 16 g de graisses saturées) – Fibres : 6 g – Sel : 3,54 g – Pas de sucres ajoutés.

Limitez l'apport calorique de cette recette en supprimant la pancetta.

Farfalle au poulet et aux asperges

Pour 4 à 6 personnes
Préparation et cuisson : 45 min

- 500 g d'asperges vertes
- 100 g de fines tranches de pancetta ou de lard sans couenne
- 2 citrons non traités
- 500 g de farfalle
- 50 g de beurre
- 30 cl de crème fraîche épaisse
- 2 blancs de poulet sans la peau
- 50 g de parmesan râpé
- 1 pincée de noix de muscade

POUR SERVIR
- salade verte

1 Pelez les asperges, puis coupez-les en quatre. Réservez les pointes. Faites cuire les tiges 5 minutes dans une casserole d'eau bouillante salée. Ajoutez les pointes 1 minute avant la fin du temps de cuisson. Rincez le tout sous l'eau froide, puis égouttez. Faites griller la pancetta 4 minutes à sec dans une poêle antiadhésive et réservez.

2 Prélevez le zeste des citrons et détachez les quartiers de fruits au-dessus d'un bol en ôtant les membranes blanches. Coupez la chair en petits morceaux et mettez-les dans le bol avec le jus.

3 Mettez les pâtes à cuire de 8 à 10 minutes dans une grande casserole d'eau bouillante salée. Pendant ce temps, faites chauffer le beurre avec la moitié de la crème fraîche dans une autre casserole, jusqu'à ce que le mélange épaississe légèrement. Coupez le poulet en lamelles, puis incorporez-les à la crème avec les asperges et le citron. Arrêtez le feu.

4 Égouttez les pâtes et ajoutez-les à la préparation avec le reste de crème fraîche, le parmesan et la noix de muscade. Mélangez, assaisonnez, couvrez de pancetta et servez avec de la salade.

• Par portion (pour 4 personnes) : 1 122 Calories – Protéines : 47 g – Glucides : 100 g – Lipides : 63 g (dont 33,4 g de graisses saturées) – Fibres : 6 g – Sel : 1,89 g – Pas de sucres ajoutés.

Une fois percé, le jaune d'œuf coule sur les pâtes, les rendant ainsi encore plus onctueuses !

Œufs au plat et linguine aux asperges

Pour 4 personnes
Préparation et cuisson : 25 min

- 450 g d'asperges vertes
- 350 g de linguine
- 1 cuill. à soupe d'huile d'olive
- 4 œufs
- 2 cuill. à soupe d'huile de noix
- sel

POUR SERVIR
- 50 g de parmesan végétarien (dans les magasins bio)

1 Portez de l'eau salée à ébullition dans une casserole. Coupez la base des asperges et jetez-la. Tranchez les tiges en deux dans la longueur, puis faites-les cuire 4 minutes dans l'eau salée à petite ébullition. Égouttez-les, rincez-les sous l'eau froide, égouttez de nouveau, puis réservez.

2 Faites cuire les pâtes de 8 à 10 minutes dans une grande casserole d'eau bouillante salée. Pendant ce temps, mettez l'huile d'olive à chauffer dans une poêle à feu doux. Cassez délicatement les œufs dans la poêle, puis couvrez et laissez cuire quelques minutes, jusqu'à ce que les blancs soient fermes et les jaunes coulants.

3 Égouttez les pâtes et remettez-les dans la casserole. Ajoutez les asperges et l'huile de noix, puis mélangez le tout. Répartissez la préparation dans quatre assiettes creuses, et déposez un œuf par-dessus. Salez, puis râpez le parmesan au-dessus des assiettes et servez.

• Par portion : 365 Calories – Protéines : 18 g – Glucides : 41 g – Lipides : 16 g (dont 3 g de graisses saturées) – Fibres : 4 g – Sel : 0,19 g – Pas de sucres ajoutés.

Utilisez des légumes surgelés prêts à cuire : prolongez alors le temps de cuisson de 5 minutes.

Tagliatelles et légumes de printemps

Pour 4 personnes
Préparation et cuisson : 30 min

- 85 g de beurre
- 1½ cuill. à soupe de persil haché
- 1½ cuill. à soupe de menthe hachée
- 1½ cuill. à soupe de ciboulette hachée
- 1 citron non traité
- 400 g de tagliatelles
- 200 g de petites carottes
- 200 g de petites courgettes
- 400 g de petits pois (1,25 kg non écossés)
- 200 g de haricots verts fins
- 1 filet d'huile d'olive
- sel et poivre du moulin

POUR SERVIR

- 1 poignée de feuilles de basilic

1 Dans une casserole à feu doux, faites fondre le beurre avec le persil, la menthe et la ciboulette, puis réservez le tout. Râpez le zeste du citron et pressez le fruit. Faites cuire les pâtes de 8 à 10 minutes dans une grande casserole d'eau bouillante salée.

2 Pendant ce temps, mettez les carottes à cuire dans une autre casserole d'eau bouillante salée pendant 2 minutes. Coupez les courgettes en rondelles, puis ajoutez-les aux carottes avec les petits pois et les haricots verts. Prolongez la cuisson de 3 minutes.

3 Égouttez les pâtes et les légumes, puis remettez-les dans les casseroles. Incorporez délicatement l'huile, la moitié du beurre aromatisé, le zeste et le jus de citron aux pâtes. Mélangez le reste du beurre avec les légumes, puis assaisonnez. Répartissez les pâtes dans des assiettes creuses, poivrez et couvrez de légumes. Parsemez de quelques feuilles de basilic et servez.

• Par portion : 634 Calories – Protéines : 21 g – Glucides : 93 g – Lipides : 22 g (dont 12 g de graisses saturées) – Fibres : 11 g – Sel : 0,09 g – Pas de sucres ajoutés.

Ce délicieux pesto accompagne aussi parfaitement des côtelettes d'agneau grillées.

Spaghettis au pesto de petits pois et de menthe

Pour 4 personnes
Préparation et cuisson : 35 à 40 min

- 350 g de spaghettis
- sel

POUR LE PESTO
- 250 g de petits pois (900 g non écossés)
- 50 g de pignons de pin
- 2 grosses gousses d'ail
- 50 g de parmesan
- 20 g de feuilles de menthe
- 6 cuill. à soupe d'huile d'olive vierge extra

POUR SERVIR (facultatif)
- parmesan râpé

1 Préparez le pesto. Faites cuire les petits pois 3 minutes dans une casserole d'eau bouillante, puis égouttez-les et rincez-les sous l'eau froide. Essuyez-les avec du papier absorbant et mettez-les dans le bol d'un robot. Dans une poêle antiadhésive à feu vif, faites griller à sec les pignons de pin pendant 1 minute, en remuant. Hachez finement l'ail et coupez le parmesan en petits morceaux, puis ajoutez-les dans le bol du robot, avec la menthe, les pignons de pin et l'huile d'olive. Mixez brièvement, jusqu'à ce que les ingrédients soient grossièrement hachés.

2 Faites cuire les spaghettis de 8 à 10 minutes dans une grande casserole d'eau bouillante salée. Égouttez-les et réservez 2 cuillerées à soupe de l'eau de cuisson. Incorporez les pâtes au pesto avec l'eau de cuisson.

3 Répartissez les spaghettis dans des assiettes creuses et servez aussitôt avec de l'huile d'olive et, si vous le souhaitez, du parmesan râpé.

• Par portion : 640 Calories – Protéines : 21 g – Glucides : 72 g – Lipides : 32 g (dont 6 g de graisses saturées) – Fibres : 6 g – Sel : 0,30 g – Pas de sucres ajoutés.

Le beurre à la mozzarella peut se préparer à l'avance et se conserver au congélateur.

Conchiglie au potiron et au fromage

Pour 4 personnes
Préparation et cuisson : 1 h
Réfrigération : 30 min

- 2 gousses d'ail
- 125 g de mozzarella
- 3 cuill. à soupe d'huile d'olive
- 1 citron non traité
- 50 g de beurre ramolli
- 1 poignée de feuilles de sauge
- 500 g de potiron (poids non pelé)
- 300 g de conchiglie rigate
- 85 g de parmesan
- sel et poivre du moulin

POUR SERVIR
- quelques feuilles de sauge

1 Préchauffez le four à 200 °C (therm. 6-7). Écrasez l'ail et hachez la mozzarella. Dans une petite casserole, mettez à chauffer 1 cuillerée à soupe d'huile. Faites revenir l'ail dans l'huile jusqu'à ce qu'il soit tendre, puis transférez-le dans le bol d'un robot. Prélevez le zeste du citron et pressez le fruit. Ajoutez la mozzarella, le beurre, la sauge, le zeste et le jus de citron dans le bol. Assaisonnez, puis mixez jusqu'à l'obtention d'une pâte épaisse. Déposez-la sur du papier sulfurisé, roulez-la pour former un cylindre et réservez-la au réfrigérateur pendant au moins 30 minutes.

2 Versez le reste de l'huile dans un plat à rôtir, puis enfournez pour 5 minutes. Pelez le potiron, épépinez-le et coupez sa chair en dés. Ajoutez-les dans le plat, puis enfournez pour 30 minutes, en remuant régulièrement. Faites cuire les pâtes de 8 à 10 minutes dans une grande casserole d'eau bouillante salée, égouttez-les, puis remettez-les dans la casserole avec le potiron et le parmesan. Sortez le beurre du réfrigérateur, coupez-le en rondelles, puis ajoutez-les dans la casserole et mélangez le tout. Ciselez quelques feuilles de sauge, parsemez-en la préparation et servez.

• Par portion : 634 Calories – Protéines : 26 g – Glucides : 60 g – Lipides : 34 g (dont 17 g de graisses saturées) – Fibres : 4 g – Sel : 1,10 g – Pas de sucres ajoutés.

Faire cuire les brocolis avec les pâtes
apporte une saveur supplémentaire à cette recette.

Spaghettis aux tomates et aux brocolis

Pour 4 personnes
Préparation et cuisson : 30 min

- 300 g de brocolis
- 400 g de spaghettis
- 1 piment rouge
- 2 gousses d'ail
- 1 oignon
- 3 cuill. à soupe d'huile d'olive
- 2 tomates séchées
- 4 tomates mûres
- sel et poivre du moulin

POUR SERVIR
- 20 g de parmesan

1 Détaillez les brocolis en bouquets. Faites cuire les spaghettis de 10 à 12 minutes dans une grande casserole d'eau bouillante salée, puis ajoutez les brocolis dans l'eau 3 ou 4 minutes avant la fin du temps de cuisson.

2 Épépinez le piment et hachez-le finement, puis écrasez l'ail et hachez l'oignon. Mettez l'huile à chauffer dans une sauteuse à feu doux et faites revenir l'oignon, l'ail et le piment pendant 5 minutes, sans les laisser brunir. Coupez les tomates séchées en petits morceaux et hachez les tomates mûres, puis ajoutez-les dans la sauteuse. Assaisonnez et laissez mijoter 5 minutes.

3 Égouttez les spaghettis et les brocolis en réservant un peu d'eau de cuisson, puis incorporez-les à la préparation avec, si nécessaire, un peu de l'eau de cuisson. Répartissez dans quatre assiettes creuses, râpez le parmesan au-dessus et servez.

• Par portion : 474 Calories – Protéines : 17 g – Glucides : 82 g – Lipides : 11 g (dont 1,5 g de graisses saturées) – Fibres : 6,4 g – Sel : 0,11 g – Pas de sucres ajoutés.

En fonction de vos envies, remplacez les fèves par des asperges ou des haricots verts.

Rigatoni aux fèves et au persil

Pour 4 personnes
Préparation et cuisson : 20 min

- 500 g de rigatoni
- 2 gousses d'ail
- 6 cuill. à soupe d'huile d'olive vierge extra
- 1/2 cuill. à café de piment en poudre
- 500 g de fèves
- 3 cuill. à soupe d'eau
- 2 cuill. à soupe de persil finement haché
- 1 cuill. à soupe de parmesan râpé
- sel et poivre du moulin

POUR SERVIR

- huile d'olive
- parmesan râpé

1 Faites cuire les pâtes de 10 à 12 minutes dans une grande casserole d'eau bouillante salée.

2 Pendant ce temps, hachez finement l'ail. Mettez l'huile à chauffer dans une grande poêle à feu moyen, puis faites frire l'ail avec le piment en poudre pendant 1 minute. Ajoutez les fèves, l'eau et laissez cuire de 3 à 5 minutes, jusqu'à ce que les fèves soient tendres et que l'eau se soit évaporée.

3 Égouttez les pâtes, mettez-les dans la poêle avec le persil et le parmesan. Salez, poivrez, puis mélangez le tout. Arrosez d'un filet d'huile d'olive, parsemez de parmesan râpé et servez.

• Par portion : 713 Calories – Protéines : 25 g – Glucides : 104 g – Lipides : 25 g (dont 4 g de graisses saturées) -- Fibres : 12 g – Sel : 0,2 g – Pas de sucres ajoutés.

Voilà une façon originale de faire manger des légumes aux enfants, à condition de ne pas abuser du poivre !

Farfalle au maïs et aux brocolis

Pour 2 personnes
Préparation et cuisson : 15 min

- 200 g de maïs en conserve
- 100 g de farfalle
- 140 g de brocolis
- sel et poivre du moulin

POUR LA SAUCE

- 100 g de cheddar ou de gruyère
- 25 g de beurre
- 10 cl de lait

1 Égouttez le maïs, puis rincez-le. Faites cuire les pâtes de 8 à 10 minutes dans une grande casserole d'eau bouillante salée, en ajoutant le maïs et les brocolis dans l'eau 4 minutes avant la fin du temps de cuisson.

2 Préparez la sauce. Râpez le fromage. Dans une casserole de taille moyenne, faites fondre le beurre dans le lait, puis portez à ébullition. Ôtez du feu, ajoutez le cheddar râpé au mélange et remuez jusqu'à ce qu'il ait fondu.

3 Égouttez les pâtes et les brocolis, remettez-les dans la casserole, puis incorporez la sauce à la préparation. Poivrez selon votre goût et servez.

• Par portion : 620 Calories – Protéines : 26 g – Glucides : 63 g – Lipides : 31 g (dont 18,2 g de graisses saturées) – Fibres : 4,5 g – Sel : 1,75 g – Sucres ajoutés : 6 g.

Pour varier les saveurs, remplacez le brie par de la feta, du bleu d'Auvergne, du fromage de chèvre, du cheddar ou du gruyère.

Conchiglie au brie et aux haricots verts

Pour 4 personnes
Préparation et cuisson : 25 min

- 300 g de conchiglie
- 250 g de haricots verts
- 50 g de tomates mûres
- 200 g de brie bien fait
- 1 gousse d'ail
- 1/2 citron
- 3 cuill. à soupe d'huile d'olive vierge extra
- sel et poivre du moulin

1 Faites cuire les pâtes de 8 à 10 minutes dans une grande casserole d'eau bouillante salée. Ajoutez les haricots verts dans l'eau 5 minutes avant la fin du temps de cuisson.

2 Pendant ce temps, hachez les tomates, le brie et l'ail, puis réunissez-les dans un saladier. Pressez le demi-citron et versez le jus dans la préparation avec l'huile d'olive. Salez, poivrez et mélangez le tout.

3 Égouttez les pâtes et les haricots, remettez-les dans la casserole, puis incorporez la préparation et faites cuire à feu doux en remuant, jusqu'à ce que le brie commence à fondre. Servez sans attendre.

• Par portion : 522 Calories – Protéines : 20 g – Glucides : 61 g – Lipides : 24 g (dont 10 g de graisses saturées) – Fibres : 4 g – Sel : 0,92 g – Pas de sucres ajoutés.

Les champignons apportent à ce plat un agréable petit goût de noisette et une texture juteuse à souhait.

Tagliatelles au chèvre et aux champignons

Pour 2 personnes
Préparation et cuisson : 20 min

- 175 g de tagliatelles
- 250 g de champignons de Paris
- 1 petit oignon
- 2 gousses d'ail
- 25 g de beurre
- 1 cuill. à soupe d'huile d'olive
- 100 g de fromage de chèvre sec
- 20 g de parmesan

POUR SERVIR
- huile d'olive

1 Faites cuire les pâtes de 8 à 10 minutes dans une grande casserole d'eau bouillante salée. Pendant ce temps, émincez les champignons, puis hachez finement l'oignon et l'ail.

2 Dans une poêle, faites fondre le beurre dans l'huile et mettez l'oignon à revenir pendant 4 minutes. Ajoutez l'ail et les champignons dans la poêle, puis faites dorer le tout quelques minutes.

3 Égouttez les tagliatelles et réservez 4 cuillerées à soupe d'eau de cuisson. Remettez les pâtes dans la casserole avec l'eau de cuisson réservée, puis incorporez les champignons. Émiettez le fromage de chèvre au-dessus de la préparation et mélangez délicatement le tout. Râpez le parmesan en copeaux, puis parsemez-en les pâtes. Arrosez d'un filet d'huile d'olive, poivrez et servez.

• Par portion : 598 Calories – Protéines : 20 g – Glucides : 71 g – Lipides : 28 g (dont 8 g de graisses saturées) – Fibres : 5 g – Sel : 0,88 g – Pas de sucres ajoutés.

Pas de viande bien sûr dans cette version végétarienne de la sauce bolognaise, mais du fer, du phosphore et de la vitamine B1 !

Spaghettis et sauce aux lentilles corail

Pour 4 personnes
Préparation et cuisson : 40 min

- 1 oignon
- 1 carotte
- 1 poivron rouge
- 1 branche de céleri
- 2 cuill. à soupe d'huile d'olive
- 100 g de lentilles corail
- 400 g de tomates en conserve
- 60 cl de bouillon de légumes
- 2 cuill. à café d'origan séché
- 1/2 cuill. café de cannelle en poudre
- 350 g de spaghettis
- sel et poivre du moulin

POUR SERVIR
- parmesan râpé

1 Pelez l'oignon et la carotte, épépinez le poivron, puis coupez le tout grossièrement avec le céleri. Réunissez l'ensemble dans le bol d'un robot et mixez finement.

2 Dans une grande casserole, mettez l'huile à chauffer et laissez dorer les légumes hachés pendant 8 minutes. Incorporez les lentilles, les tomates, le bouillon de légumes, l'origan et la cannelle à la préparation. Portez à ébullition, puis assaisonnez selon votre goût et baissez le feu. Laissez mijoter 20 minutes à couvert.

3 Pendant ce temps, faites cuire les spaghettis de 10 à 12 minutes dans une grande casserole d'eau bouillante salée. Égouttez-les et répartissez dans des assiettes creuses. Garnissez de sauce et servez avec du parmesan râpé.

• Par portion : 484 Calories – Protéines : 19 g – Glucides : 90 g – Lipides : 8 g (dont 1 g de graisses saturées) – Fibres : 6 g – Sel : 0,66 g – Pas de sucres ajoutés.

La cuisson au four fait ressortir le goût sucré de la courge tandis que l'oignon rouge apporte une note fruitée à l'ensemble.

Penne à la courge et aux oignons rouges

Pour 2 personnes
Préparation et cuisson : 50 min

- 700 g de courge
- 2 oignons rouges
- 2 gousses d'ail
- 2 cuill. à soupe d'huile d'olive
- 175 g de penne rigate
- 3 cuill. à soupe bombées de crème fraîche
- poivre du moulin

POUR SERVIR (facultatif)
- parmesan râpé

1 Préchauffez le four à 200 °C (therm. 6-7). Pelez la courge et coupez-la en deux. Épépinez-la, puis détaillez la chair en dés de 3 cm de côté. Pelez les oignons et séparez-les en huit quartiers dans la longueur. Émincez l'ail, puis mettez-le dans un plat à rôtir avec la courge, les oignons et l'huile d'olive. Poivrez et mélangez délicatement jusqu'à ce que tous les ingrédients soient enrobés d'huile. Enfournez pour 30 minutes.

2 Pendant ce temps, faites cuire les pâtes de 8 à 10 minutes dans une grande casserole d'eau bouillante salée. Égouttez-les et réservez 4 cuillerées à soupe d'eau de cuisson.

3 Sortez le plat du four. Incorporez l'eau de cuisson réservée et la crème fraîche aux légumes. Ajoutez les pâtes, puis mélangez le tout. Poivrez et servez éventuellement avec du parmesan.

• Par portion : 572 Calories – Protéines : 16,7 g – Glucides : 102 g – Lipides : 13,8 g (dont 7,6 g de graisses saturées) – Fibres : 9,2 g – Sel : 0,16 g – Pas de sucres ajoutés.

Même les personnes allergiques au gluten pourront savourer cette recette car on trouve désormais des pâtes sans gluten dans le commerce.

Fusilli au poivron et pesto de noix

Pour 3 personnes
Préparation et cuisson : 35 min

- 2 oignons rouges
- 1 cuill. à soupe d'huile d'olive vierge extra
- 250 g de pâtes sans gluten (par exemple au maïs)
- 290 g de poivrons grillés en conserve
- 50 g de parmesan
- sel et poivre du moulin

POUR LE PESTO
- 25 g de cerneaux de noix
- 2 gousses d'ail
- le zeste de 1 citron non traité
- 20 g de persil
- 4 cuill. à soupe d'huile d'olive vierge extra

1 Préparez le pesto. Hachez finement les noix, écrasez l'ail, puis réunissez le tout dans le bol d'un robot avec le zeste de citron, le persil et l'huile d'olive. Assaisonnez et mixez-le tout.

2 Préchauffez le gril du four à température maximale. Coupez les oignons en quatre et séparez leurs couches. Enduisez-les d'huile d'olive, puis disposez-les sur une plaque de cuisson. Enfournez et laissez griller de 6 à 8 minutes.

3 Pendant ce temps, faites cuire les pâtes de 8 à 10 minutes dans une grande casserole d'eau bouillante salée. Égouttez-les et remettez-les dans la casserole.

4 Égouttez les poivrons et coupez-les en tranches, puis incorporez-les aux pâtes avec le pesto et les oignons grillés. Faites chauffer le tout quelques minutes en remuant, puis râpez le parmesan au-dessus de la préparation. Assaisonnez, mélangez bien le tout et servez.

• Par portion : 696 Calories – Protéines : 17 g – Glucides : 74 g – Lipides : 40 g (dont 8 g de graisses saturées) – Fibres : 5 g – Sel : 2,74 g – Pas de sucres ajoutés.

Ajoutez les pousses d'épinards au dernier moment afin d'en préserver les vitamines et la texture.

Penne rigate à la feta et aux légumes grillés

Pour 2 personnes
Préparation et cuisson : 1 h

- 1 petite courge
- 1 gros poivron rouge
- 2 gousses d'ail
- 60 g de feta
- 1 cuill. à café de romarin finement haché
- 1 cuill. à soupe d'huile d'olive
- 200 g de penne rigate
- 100 g de pousses d'épinards
- poivre du moulin

1 Préchauffez le four à 200 °C (therm. 6-7). Pelez la courge, épépinez-la, puis coupez-la en larges dés. Épépinez le poivron et détaillez-le en morceaux. Hachez grossièrement l'ail, puis émiettez la feta. Réunissez le tout dans un grand plat à rôtir avec le romarin. Versez l'huile dans le plat, poivrez généreusement et mélangez jusqu'à ce que tous les ingrédients soient bien enrobés d'huile. Enfournez pour 40 minutes et remuez à mi-cuisson.

2 Pendant ce temps, faites cuire les pâtes de 8 à 10 minutes dans une grande casserole d'eau bouillante salée. Égouttez-les et réservez 15 cl d'eau de cuisson.

3 Incorporez avec soin les penne et les pousses d'épinards aux légumes rôtis, jusqu'à ce que les épinards commencent à fondre. Ajoutez, si nécessaire, un peu de l'eau de cuisson des pâtes et servez sans attendre.

• Par portion : 605 Calories – Protéines : 22 g – Glucides : 104 g – Lipides : 14 g (dont 5 g de graisses saturées) – Fibres : 10 g – Sel : 1,34 g – Pas de sucres ajoutés.

Préférez le fromage de chèvre sec au fromage frais car il s'émiette plus facilement et conserve une meilleure consistance à la cuisson.

Farfalle aux poivrons et aux petits pois

Pour 2 personnes
Préparation et cuisson : 25 min

- 200 g de farfalle
- 100 g de petits pois surgelés
- 100 g de fromage de chèvre sec
- 100 g de poivrons grillés en bocal
- 1 citron non traité
- 2 cuill. à soupe d'huile d'olive vierge extra
- sel et poivre du moulin

1 Faites cuire les pâtes de 8 à 10 minutes dans une grande casserole d'eau bouillante salée. Ajoutez les petits pois dans l'eau 3 minutes avant la fin du temps de cuisson.

2 Émiettez le fromage de chèvre, puis égouttez les poivrons et coupez-les en lamelles. Râpez finement le zeste du citron.

3 Égouttez les pâtes et les petits pois en réservant 4 cuillerées à soupe de l'eau de cuisson, puis remettez-les dans la casserole. Baissez le feu, ajoutez le zeste de citron et 1 cuillerée à soupe d'huile, puis incorporez l'eau de cuisson, le fromage de chèvre et les lamelles de poivron au mélange.

4 Assaisonnez et laissez cuire jusqu'à ce que le fromage commence à fondre. Répartissez la préparation dans des assiettes creuses, poivrez, puis arrosez d'huile d'olive et servez sans attendre.

• Par portion : 671 Calories – Protéines : 22 g – Glucides : 85 g – Lipides : 29 g (dont 3 g de graisses saturées) – Fibres : 7 g – Sel : 2,5 g – Pas de sucres ajoutés.

Cette recette est très simple à préparer
car les légumes n'ont pas besoin d'être pelés.

Fusilli aux légumes grillés

Pour 2 personnes
Préparation et cuisson : 45 min

- 1 oignon rouge
- 2 courgettes
- 3 gousses d'ail
- 3 cuill. à soupe d'huile d'olive
- 250 g de tomates cerises
- 140 g de fusilli
- 1 poignée de feuilles de basilic
- sel et poivre du moulin

POUR SERVIR (facultatif)

- parmesan râpé

1 Préchauffez le four à 220 °C (therm. 7-8). Coupez l'oignon en huit quartiers et les courgettes en gros morceaux, puis mettez-les dans un plat allant au four avec les gousses d'ail entières. Arrosez le tout d'huile d'olive et assaisonnez généreusement. Remuez, puis enfournez pour 15 minutes. Ajoutez les tomates cerises dans le plat et prolongez la cuisson de 15 minutes.

2 Pendant ce temps, faites cuire les pâtes de 8 à 10 minutes dans une grande casserole d'eau bouillante salée.

3 Égouttez les pâtes et sortez les légumes du four. Recueillez la pulpe des gousses d'ail à l'aide d'une cuillère, puis incorporez-la aux légumes. Transvasez les pâtes dans le plat, parsemez de basilic et mélangez le tout. Servez éventuellement avec du parmesan.

• Par portion : 460 Calories – Protéines : 12 g – Glucides : 64 g – Lipides : 19 g (dont 3 g de graisses saturées) – Fibres : 5 g – Sel : 0,07 g – Pas de sucres ajoutés.

Le bleu d'Auvergne relève somptueusement la saveur délicate des pâtes et des épinards.

Penne aux épinards et sauce au bleu

Pour 4 personnes
Préparation et cuisson : 30 min

- 8 tomates séchées à l'huile
- 450 g de poireaux
- 125 g de bleu
- 1 noix de beurre
- 1 cuill. à soupe d'huile d'olive
- 1 cuill. à soupe d'eau chaude
- 500 g de penne rigate
- 200 g de crème fraîche
- 1 cuill. à soupe de moutarde à l'ancienne
- 225 g de pousses d'épinards
- sel et poivre du moulin

1 Égouttez les tomates, puis coupez-les en tranches. Émincez les poireaux en fines rondelles et détaillez le fromage en dés. Dans une grande casserole, faites fondre le beurre dans l'huile, puis ajoutez les poireaux et l'eau chaude. Couvrez et laissez cuire 10 minutes à feu doux, en remuant régulièrement. Pendant ce temps, faites cuire les pâtes de 8 à 10 minutes dans un grand récipient d'eau bouillante salée.

2 Incorporez la crème fraîche, la moutarde et les trois quarts du fromage aux poireaux. Assaisonnez généreusement le tout et prolongez la cuisson jusqu'à ce que le fromage ait fondu, puis arrêtez le feu.

3 Égouttez les penne et réservez l'eau de cuisson. Incorporez les pâtes à la préparation, avec les tomates et un peu d'eau de cuisson. Ajoutez progressivement les pousses d'épinards et mélangez jusqu'à ce qu'elles commencent à fondre. Arrosez, si nécessaire, d'un peu plus d'eau. Parsemez du reste de fromage, puis remuez bien le tout et servez.

• Par portion : 808 Calories – Protéines : 27 g – Glucides : 103 g – Lipides : 35 g (dont 18 g de graisses saturées) – Fibres : 9 g – Sel : 2,03 g – Pas de sucres ajoutés.

Cette variante originale du pesto de basilic
peut également se préparer avec des petits pois surgelés.

Penne au pesto de brocolis

Pour 4 personnes
Préparation et cuisson : 20 min

- 400 g de penne rigate
- 250 g de brocolis
- 1 gousse d'ail
- 1 citron non traité
- 1/2 cuill. à café de piment en poudre
- 3 cuill. à soupe de pignons de pin
- 5 cuill. à soupe d'huile d'olive vierge extra
- 3 cuill. à soupe de parmesan râpé
- sel et poivre du moulin

POUR SERVIR

- quelques feuilles de roquette

1 Mettez les pâtes à cuire de 8 à 10 minutes dans un grand récipient d'eau bouillante salée.

2 Pendant ce temps, faites cuire les brocolis pendant 4 minutes dans une casserole d'eau bouillante salée. Égouttez-les et remettez-les dans la casserole. Écrasez-les grossièrement, puis râpez l'ail et le zeste du citron au-dessus des légumes. Ajoutez le piment et les pignons de pin à la préparation, puis mélangez bien le tout.

3 Égouttez les pâtes et remettez-les dans le récipient de cuisson. Coupez le citron en deux et pressez-en la moitié. Versez le jus sur les pâtes avec le pesto de brocolis et l'huile d'olive. Remuez, assaisonnez, puis incorporez le parmesan au mélange. Parsemez de feuilles de roquette et servez aussitôt.

• Par portion : 604 Calories – Protéines : 19 g – Glucides : 79 g – Lipides : 26 g (dont 4 g de graisses saturées) – Fibres : 5 g – Sel : 0,47 g – Pas de sucres ajoutés.

Vous pouvez rehausser le goût de ce plat
en lui incorporant des petits morceaux de tomates séchées.

Tagliatelles
à la roquette et à la ricotta

Pour 4 personnes
Préparation et cuisson : 20 min

- 400 g de tagliatelles
- 6 tomates mûres
- 1/2 oignon rouge
- 100 g de roquette
- 2 cuill. à soupe de câpres
- 4 cuill. à soupe d'huile d'olive vierge extra
- 250 g de ricotta
- sel et poivre du moulin

1 Faites cuire les tagliatelles de 8 à 10 minutes dans une grande casserole d'eau bouillante salée.

2 Pendant ce temps, hachez finement les tomates et le demi-oignon, puis coupez grossièrement la roquette. Égouttez les câpres et rincez-les, puis mettez-les dans un saladier avec les tomates, l'oignon et la roquette. Brassez bien le tout et réservez.

3 Égouttez les tagliatelles, puis remettez-les dans la casserole. Versez l'huile sur les pâtes et remuez jusqu'à ce qu'elles en soient bien imprégnées. Ajoutez les légumes dans la casserole et mélangez bien le tout. Assaisonnez généreusement, puis incorporez progressivement la ricotta à la préparation. Servez dans un grand plat creux.

• Par portion : 587 Calories – Protéines : 20 g – Glucides : 81 g – Lipides : 23 g (dont 7 g de graisses saturées) – Fibres : 5 g – Sel : 0,58 g – Pas de sucres ajoutés.

Utilisez des champignons de Paris frais pour cette recette.

Macaronis aux légumes et au fromage

Pour 2 personnes
Préparation et cuisson : 20 min

- 200 g de macaronis
- 2 poireaux
- 6 champignons
- 4 tomates
- 2 cuill. à soupe d'huile d'olive

POUR SERVIR
- 100 g de fromage à tartiner à l'ail et aux fines herbes

1 Faites cuire les macaronis de 8 à 10 minutes dans une grande casserole d'eau bouillante salée.

2 Pendant ce temps, coupez les poireaux en rondelles et les champignons en quatre, puis hachez grossièrement les tomates. Mettez l'huile à chauffer dans un wok ou dans une grande poêle. Laissez revenir les poireaux et les champignons de 4 à 6 minutes, jusqu'à ce que les poireaux commencent à fondre. Ajoutez les tomates au mélange, assaisonnez généreusement et prolongez la cuisson de 1 minute.

3 Égouttez les macaronis, puis incorporez-les aux légumes. Émiettez le fromage par-dessus et servez.

• Par portion : 664 Calories – Protéines : 20 g – Glucides : 85 g – Lipides : 30 g (dont 11,7 g de graisses saturées) – Fibres : 7,9 g – Sel : 0,5 g – Pas de sucres ajoutés.

Le goût sucré des tomates cuites au four contraste à merveille avec la saveur salée de la feta.

Spaghettis aux tomates et aux olives noires

Pour 4 personnes
Préparation et cuisson : 30 min

- 500 g de tomates cerises
- 3 cuill. à soupe d'huile d'olive
- 400 g de spaghettis
- 250 g de feta
- 1 bonne poignée de persil plat
- 1 poignée d'olives noires dénoyautées
- sel et poivre du moulin

POUR SERVIR
- parmesan râpé

1 Préchauffez le four à 200 °C (therm. 6-7). Mettez les tomates cerises dans un plat creux allant au four et arrosez-les d'huile d'olive. Assaisonnez de sel et de poivre, puis enfournez pour 15 minutes.

2 Faites cuire les spaghettis de 10 à 12 minutes dans une grande casserole d'eau bouillante salée. Pendant ce temps, coupez la feta en dés et hachez grossièrement le persil.

3 Égouttez les pâtes, puis remettez-les dans la casserole. Incorporez les tomates et leur jus de cuisson aux spaghettis avec la feta, les olives et le persil. Mélangez et servez éventuellement avec du parmesan râpé.

• Par portion : 530 Calories – Protéines : 23 g – Glucides : 79 g – Lipides : 16 g (dont 8 g de graisses saturées) – Fibres : 5 g – Sel : 3,02 g – Pas de sucres ajoutés.

Si vous avez de nombreux convives, servez ce plat aux couleurs de l'Italie !

Lasagnes aux tomates et aux épinards

Pour 6 personnes
Préparation et cuisson : 1 h 20

- 500 g de pousses d'épinards
- 300 g de mozzarella
- 250 g de feuilles de lasagne fraîches
- 3 cuill. à soupe bombées de pesto
- 500 g de tomates cerises en grappe
- 1 bonne poignée de feuilles de basilic
- 175 g de parmesan râpé

POUR LA BÉCHAMEL
- 1,5 l de lait
- 100 g de beurre ramolli
- 100 g de farine
- 1 pincée de noix de muscade
- sel et poivre du moulin

POUR SERVIR
- quelques feuilles de basilic

1 Préchauffez le four à 200 °C (therm. 6-7). Préparez la béchamel. Réunissez le lait, le beurre, la farine et la noix de muscade dans une casserole, puis laissez mijoter à feu doux en fouettant constamment, jusqu'à l'obtention d'une sauce lisse et épaisse. Salez, poivrez et laissez refroidir.

2 Mettez les épinards dans un saladier. Arrosez-les d'eau bouillante, attendez 30 secondes, puis égouttez-les. Rincez-les, égouttez-les de nouveau et pressez-les avec le dos d'une cuillère pour éliminer le maximum d'eau.

3 Détaillez la mozzarella en morceaux. Étalez 1 ou 2 cuillerées à soupe de béchamel au fond d'un plat rectangulaire profond allant au four. Couvrez du tiers des feuilles de lasagne, ajoutez un tiers de la béchamel, puis étalez 1 cuillerée à soupe de pesto. Répartissez la moitié des pousses d'épinards, un tiers des tomates cerises, un peu de basilic, puis un tiers du parmesan et de la mozzarella. Assaisonnez et répétez l'opération en terminant par le fromage. Salez, poivrez, puis enfournez pour 40 minutes. Parsemez de basilic et servez.

• Par portion : 711 Calories – Protéines : 38 g – Glucides : 46 g – Lipides : 43 g (dont 25 g de graisses saturées) – Fibres : 4 g – Sel : 2,5 g – Pas de sucres ajoutés.

Préparez ce plat plusieurs heures à l'avance
et enfournez le temps de prendre l'apéritif.

Gratin de rigatoni aux saucisses et aux épinards

Pour 6 personnes
Préparation et cuisson : 1 h 15

- 1 cuill. à soupe d'huile d'olive
- 1 oignon
- 400 g de chair à saucisse
- 1 grosse carotte
- 15 cl de vin rouge
- 30 cl de bouillon de légumes
- 3 cuill. à soupe de purée de tomates
- 500 g de rigatoni
- 200 g d'épinards
- 140 g de cheddar ou de gruyère râpé
- sel et poivre du moulin

POUR LA BÉCHAMEL

- 50 g de beurre
- 50 g de farine
- 60 cl de lait
- 1 bonne pincée de noix de muscade

1 Préchauffez le four à 190 °C (therm. 6-7). Mettez l'huile à chauffer dans une grande casserole. Hachez l'oignon et laissez-le revenir quelques minutes dans l'huile. Faites frire la chair à saucisse 5 minutes dans la casserole. Râpez la carotte, puis incorporez-la à la préparation avec le vin le bouillon et la purée de tomates. Assaisonnez, portez à ébullition et laissez mijoter 15 minutes à découvert.

2 Préparez la béchamel : réunissez les ingrédients dans une casserole, assaisonnez, puis faites mijoter en fouettant jusqu'à ce que la sauce épaississe.

3 Faites cuire les pâtes de 10 à 12 minutes dans une grande casserole d'eau bouillante salée. Arrêtez le feu et plongez les épinards dans l'eau quelques minutes, puis égouttez le tout. Transvasez la moitié des pâtes et des épinards dans un plat profond allant au four. Répartissez dessus le mélange à base de chair à saucisse, puis couvrez du reste de pâtes et d'épinards. Nappez de béchamel, parsemez de fromage râpé, puis enfournez pour 25 minutes.

• Par portion : 749 Calories – Protéines : 31 g – Glucides : 84 g – Lipides : 33 g (dont 16 g de graisses saturées) – Fibres : 5 g – Sel : 2,32 g – Pas de sucres ajoutés.

Pour réhydrater les champignons séchés, faites-les tremper 20 minutes dans 15 cl d'eau chaude, puis égouttez-les dans une passoire doublée de papier absorbant et réservez l'eau de trempage.

Conchiglione farcies aux champignons

Pour 4 personnes

Préparation et cuisson : 1 h 30

- 2 échalotes ou 1 petit oignon
- 1 gousse d'ail
- 200 g de champignons de Paris
- 50 g de beurre
- 20 g de bolets séchés réhydratés
- 3 cuill. à soupe de persil haché
- 200 g de conchiglione
- 2 cuill. à soupe d'huile d'olive
- 500 g de tomates cerises
- 200 g de fromage de chèvre sec
- 50 g de parmesan
- sel et poivre du moulin

1 Hachez finement les échalotes et l'ail, puis émincez les champignons de Paris. Laissez fondre le beurre dans une grande casserole à feu doux et faites-y frire les échalotes 5 minutes. Ajoutez les champignons de Paris et prolongez la cuisson jusqu'à ce qu'ils soient tendres. Incorporez les bolets, leur eau de trempage et l'ail à la préparation, puis assaisonnez et laissez mijoter jusqu'à ce que l'eau soit presque entièrement évaporée. Saupoudrez de persil, mélangez et arrêtez le feu.

2 Préchauffez le four à 190 °C (therm. 6-7). Faites cuire les pâtes de 10 à 12 minutes dans une grande casserole d'eau bouillante salée, égouttez-les, puis arrosez-les d'un filet d'huile. Coupez les tomates cerises en deux et disposez-les dans un plat profond. Arrosez-les du reste d'huile, salez et poivrez. Farcissez les conchiglione de champignons à l'ail et répartissez-les sur les tomates. Émiettez le fromage de chèvre sur les pâtes, puis enfournez pour 20 minutes. Râpez le parmesan au-dessus du plat et prolongez la cuisson de 20 minutes.

• Par portion : 578 Calories – Protéines : 24 g – Glucides : 46 g – Lipides : 34 g (dont 19 g de graisses saturées) – Fibres : 4 g – Sel : 1,54 g – Pas de sucres ajoutés.

Pour que le fromage soit bien gratiné,
passez le plat sous le gril du four juste avant de servir.

Gratin de tagliatelles au jambon et aux champignons

Pour 4 personnes
Préparation et cuisson : 40 min

- 400 g de tagliatelles
- 100 g de champignons de Paris
- 100 g de jambon
- 85 g de gruyère ou d'emmental
- 50 g de parmesan
- 25 g de beurre
- 15 cl de crème fraîche
- 250 g de tomates cerises
- sel et poivre du moulin

POUR SERVIR
- roquette

1 Préchauffez le four à 190 °C (therm. 6-7) et huilez un plat profond. Faites cuire les tagliatelles de 10 à 12 minutes dans une grande casserole d'eau bouillante salée.

2 Pendant ce temps, émincez les champignons et coupez le jambon en lamelles, puis râpez le gruyère et le parmesan. Dans une grande poêle à feu doux, faites fondre le beurre et laissez revenir les champignons 5 minutes, en remuant régulièrement. Versez la crème fraîche dans la poêle et portez à ébullition sans cesser de remuer. Arrêtez le feu, puis incorporez le jambon et les deux tiers du gruyère au mélange. Assaisonnez et mélangez le tout.

3 Égouttez les pâtes et ajoutez-les dans la poêle, puis transvasez le tout dans le plat huilé. Coupez les tomates cerises en deux et disposez-les sur la préparation, côté chair vers le haut. Parsemez du reste de gruyère et de parmesan, puis enfournez pour 20 minutes. Servez avec de la roquette

• Par portion : 723 Calories – Protéines : 29 g – Glucides : 79 g – Lipides : 34 g (dont 19,7 g de graisses saturées) – Fibres : 4 g – Sel : 1,44 g – Pas de sucres ajoutés.

Le leicester rouge est un fromage anglais au lait de vache traditionnellement coloré avec de la carotte ou de la betterave, semblable à l'édam.

Gratin de macaronis au chou-fleur et à la tomate

Pour 4 personnes
Préparation et cuisson : 30 min

- 300 g de macaronis ou de penne
- 1 petit chou-fleur
- 175 g de leicester ou de gruyère
- 2 tomates
- 200 g de crème fraîche
- 2 cuill. à café de moutarde à l'ancienne
- sel et poivre du moulin

1 Portez à ébullition une grande casserole d'eau salée. Plongez les pâtes dans la casserole et laissez cuire 2 minutes. Détaillez le chou-fleur en bouquets, ajoutez-les dans l'eau et prolongez la cuisson de 8 à 10 minutes, jusqu'à ce que les pâtes et le chou-fleur soient tendres. Pendant ce temps, râpez le fromage et coupez les tomates en quartiers.

2 Égouttez soigneusement les macaronis et le chou-fleur. Mettez la crème fraîche, la moutarde et les trois quarts du fromage dans la casserole, puis laissez fondre le tout à feu doux en remuant constamment.

3 Préchauffez le gril du four à température maximale. Incorporez délicatement les pâtes et le chou-fleur à la sauce, assaisonnez, puis transvasez la préparation dans un plat allant au four. Disposez les quartiers de tomates sur le mélange. Parsemez du reste de fromage, poivrez, puis enfournez jusqu'à ce que le gratin bouillonne.

• Par portion : 636 Calories – Protéines : 25 g – Glucides : 64 g – Lipides : 33 g (dont 18 g de graisses saturées) – Fibres : 5 g – Sel : 0,98 g – Pas de sucres ajoutés.

Composé de poisson, de légumes, de fromages et de pâtes, ce plat séduira tous les gourmands !

Lasagnes au saumon et aux brocolis

Pour 4 personnes
Préparation et cuisson : 1 h 10

- 250 g de mascarpone
- 250 g de ricotta
- 30 cl de crème fraîche liquide
- 3 cuill. à soupe d'aneth haché
- 2 cuill. à soupe de jus de citron
- 300 g de brocolis
- 450 g de filet de saumon sans la peau
- 250 g de feuilles de lasagne fraîches
- 3 cuill. à soupe bombées de parmesan râpé
- sel et poivre du moulin

1 Préchauffez le four à 180 °C (therm. 6). Dans un saladier, mélangez le mascarpone avec la ricotta, la crème fraîche, l'aneth et le jus de citron, puis assaisonnez.

2 Détaillez les brocolis en bouquets et plongez-les 3 minutes dans de l'eau bouillante salée. Égouttez-les, rincez-les sous l'eau froide, puis égouttez-les de nouveau.

3 Huilez un plat rectangulaire profond et coupez le saumon en petits morceaux. Étalez 2 cuillerées à soupe de sauce au mascarpone et à la ricotta au fond du plat. Disposez une couche de feuilles de lasagne par-dessus, en les coupant pour éviter qu'elles se chevauchent. Nappez de sauce, parsemez d'un tiers du saumon et des brocolis, répétez l'opération jusqu'à épuisement des ingrédients et terminez par des feuilles de lasagne et le reste de sauce. Parsemez de parmesan, puis enfournez pour 40 minutes.

• Par portion : 914 Calories – Protéines : 45 g – Glucides : 36 g – Lipides : 66 g (dont 35 g de graisses saturées) – Fibres : 4 g – Sel : 0,77 g – Pas de sucres ajoutés.

La sauce napolitaine est une sauce tomate italienne très parfumée à base de tomates, d'oignons, d'ail, d'huile d'olive, de basilic et de thym.

Gratins de tortellini à la mozzarella

Pour 2 personnes

Préparation et cuisson : 45 min

- 500 g de sauce napolitaine
- 10 cl d'eau
- 1 bonne poignée de feuilles de basilic
- 250 g de tortellini frais aux épinards et à la ricotta
- 100 g de mozzarella
- 2 cuill. à soupe de parmesan râpé
- 1 cuill. à soupe de pignons de pin
- sel et poivre du moulin

1 Préchauffez le four à 180 °C (therm. 6). Dans un grand saladier, délayez la sauce napolitaine avec l'eau. Incorporez les feuilles de basilic et les tortellini à la sauce, puis assaisonnez et mélangez le tout.

2 Répartissez la moitié de la préparation dans deux petits plats à gratin, puis coupez la mozzarella en tranches. Disposez la moitié de la mozzarella dans chaque plat, arrosez du reste de sauce, puis enfoncez les tortellini dedans et ajoutez le reste de la mozzarella.

3 Parsemez de parmesan et de pignons de pin, puis enfournez pour 30 minutes, jusqu'à ce que les gratins soient dorés. Servez sans attendre.

• Par portion : 735 Calories – Protéines : 30 g – Glucides : 22 g – Lipides : 59 g (dont 26 g de graisses saturées) – Fibres : 2 g – Sel : 4,84 g – Pas de sucres ajoutés.

Le dolcelatte est un fromage persillé italien au lait de vache au goût plus doux que le gorgonzola.

Gratin de macaronis aux trois fromages et au jambon

Pour 4 personnes
Préparation et cuisson : 1 h

- 500 g de macaronis
- 200 g de jambon cuit
- 85 g de cheddar ou de gruyère
- 85 g de *dolcelatte* ou de bleu d'Auvergne
- 85 g de fromage à tartiner à l'ail et aux fines herbes
- 85 g de noix mélangées (noix de cajou, amandes émondées, noisettes, etc.)
- 1 poignée de persil
- sel et poivre du moulin

POUR LA BÉCHAMEL

- 85 cl de lait
- 50 g de beurre
- 50 g de farine
- 1 pincée de noix de muscade en poudre

1 Préchauffez le four à 190 °C (therm. 6-7). Faites cuire les pâtes de 8 à 10 minutes dans un grand récipient d'eau bouillante salée.

2 Préparez la béchamel. Dans une grande casserole, réunissez le lait, le beurre et la farine. Assaisonnez, incorporez la noix de muscade, puis portez à ébullition à feu moyen et prolongez la cuisson en fouettant constamment jusqu'à l'obtention d'une sauce lisse et crémeuse.

3 Égouttez les pâtes et incorporez-les à la béchamel. Hachez le jambon, râpez le cheddar, puis ajoutez-les dans la casserole en mélangeant bien. Rectifiez l'assaisonnement selon votre goût, puis transvasez la préparation dans un plat profond allant au four. Coupez le dolcelatte en dés et incorporez-les au gratin avec le fromage à tartiner. Hachez grossièrement les noix et le persil, parsemez-en le plat et enfournez pour 30 minutes. Servez bien chaud.

• Par portion : 840 Calories – Protéines : 55 g – Glucides : 26 g – Lipides : 44 g (dont 21 g de graisses saturées) – Fibres : 6 g – Sel : 2,61 g – Pas de sucres ajoutés.

Saupoudrez les tomates de sucre avant la cuisson pour atténuer leur acidité.

Gratin d'aubergine à la mozzarella

Pour 6 personnes
Préparation et cuisson : 2h30

- 1,2 kg de tomates en grappe
- 1 cuill. à café de sucre blond
- 5 cuill. à soupe d'huile d'olive vierge extra
- 450 g d'aubergines
- 2 gousses d'ail
- 450 g de mozzarella
- 500 g de rigatoni
- 2 bonnes poignées de basilic
- 50 g de parmesan râpé
- sel et poivre du moulin

POUR SERVIR

- quelques feuilles de basilic

1 Préchauffez le four à 160 °C (therm. 5-6). Coupez les tomates en deux et posez-les sur une plaque de cuisson, côté chair vers le haut. Saupoudrez de sucre, salez, poivrez, puis aspergez-les de 1 cuillerée à soupe d'huile d'olive. Enfournez pour 45 minutes.

2 Pendant ce temps, coupez l'aubergine en rondelles, badigeonnez-les d'un peu d'huile d'olive de chaque côté et disposez-les sur une autre plaque de cuisson. Enfournez et prolongez la cuisson des tomates de 45 minutes.

3 Faites cuire les pâtes de 8 à 10 minutes dans une grande casserole d'eau bouillante salée. Écrasez l'ail, puis coupez la mozzarella en tranches fines. Faites cuire les pâtes, égouttez-les et mélangez-les avec le reste d'huile d'olive et l'ail. Sortez les légumes du four et augmentez la température à 200 °C (therm. 6-7). Dans un plat profond, alternez les couches de pâtes, de tomates, d'aubergine, de basilic et de mozzarella en terminant par une couche de tomates, puis de mozzarella. Saupoudrez de parmesan, enfournez pour 25 minutes, puis parsemez de feuilles de basilic et servez.

• Par portion : 722 Calories – Protéines : 29 g – Glucides : 73 g – Lipides : 37 g (dont 16 g de graisses saturées) – Fibres : 7 g – Sel : 2,07 g – Sucres ajoutés : 2 g.

Dans cette recette, le fromage blanc et le lait écrémé remplacent la sauce béchamel et allègent ainsi ce plat copieux.

Lasagnes au porc et à la tomate

Pour 4 personnes

Préparation et cuisson : 1 h30

- 1 oignon
- 2 branches de céleri
- 1 cuill. à café d'huile d'olive
- 400 g de porc maigre haché
- 1 cuill. à café de romarin séché
- 15 cl de vin blanc
- 45 cl de bouillon de poulet
- 2 cuill. à soupe de purée de tomates
- 400 g de tomates concassées en conserve
- 1 cuill. à café de fécule de maïs
- 1 cuill. à café d'eau
- 500 g de fromage blanc
- 25 cl de lait écrémé
- 1 pincée de noix de muscade râpée
- 10 feuilles de lasagne sèches
- 15 g de parmesan râpé
- sel et poivre du moulin

1 Hachez l'oignon et le céleri. Mettez l'huile à chauffer dans une casserole antiadhésive, puis faites revenir la viande hachée en l'émiettant. Ajoutez l'oignon, le céleri, le romarin et le vin dans la casserole. Laissez mijoter le tout 10 minutes, puis incorporez le bouillon, la purée de tomates et les tomates concassées à la préparation. Assaisonnez et laissez mijoter 30 minutes à couvert.

2 Délayez la fécule de maïs avec l'eau, puis versez-la dans la casserole et prolongez la cuisson en remuant constamment jusqu'à ce que la sauce épaississe. Arrêtez le feu.

3 Préchauffez le four à 190 °C (therm. 6-7). Mélangez le fromage blanc avec le lait et la noix de muscade dans un saladier, puis assaisonnez le tout. Dans un plat rectangulaire, répartissez un tiers de la viande, 2 feuilles de lasagne, un tiers de la sauce au fromage blanc, un peu de parmesan, puis 2 feuilles de lasagne. Répétez l'opération deux fois, en terminant par une couche de sauce. Parsemez du reste de parmesan, puis enfournez pour 35 minutes.

• Par portion : 425 Calories – Protéines : 41 g – Glucides : 45 g – Lipides : 7 g (dont 2 g de graisses saturées) – Fibres : 3 g – Sel : 1,03 g – Pas de sucres ajoutés.

Vous pouvez remplacer le saumon par des filets de poisson blanc et les brocolis par des fèves ou des asperges vertes.

Gratin de penne au saumon et aux brocolis

Pour 4 personnes

Préparation et cuisson : 1 h

- 250 g de penne rigate
- 300 g de bouquets de brocolis
- 8 tomates séchées à l'huile
- 10 grandes feuilles de basilic
- 100 g de mascarpone
- 4 filets de saumon sans la peau
- 50 g de cheddar ou de gruyère râpé
- sel et poivre du moulin

POUR LA BÉCHAMEL

- 25 g de beurre
- 25 g de farine
- 60 cl de lait

1 Préchauffez le four à 190 °C (therm. 6-7). Faites cuire les pâtes de 8 à 10 minutes dans de l'eau bouillante salée. Ajoutez les brocolis dans l'eau 4 minutes avant la fin du temps de cuisson.

2 Pendant ce temps, préparez la béchamel : dans une casserole, réunissez le beurre, la farine et le lait, puis faites mijoter le tout en fouettant constamment jusqu'à l'obtention d'une sauce lisse et épaisse. Arrêtez le feu. Égouttez les tomates séchées et coupez-les en tranches, ciselez grossièrement le basilic, puis incorporez-les à la béchamel avec le mascarpone.

3 Égouttez les pâtes et les brocolis, incorporez-les à la préparation et assaisonnez généreusement le tout. Coupez les filets de saumon en deux dans la largeur et déposez-les en une seule couche dans un plat rectangulaire profond. Recouvrez-les du mélange de pâtes et de brocolis, parsemez de fromage râpé, puis enfournez pour 30 minutes.

• Par portion : 817 Calories – Protéines : 49 g – Glucides : 64 g – Lipides : 42 g (dont 18 g de graisses saturées) – Fibres : 5 g – Sel : 1,3 g – Pas de sucres ajoutés.

Variez l'intensité des saveurs de ce plat en remplaçant le cheddar par du fromage plus fruité comme le comté ou le beaufort.

Fusilli aux légumes gratinés

Pour 4 personnes
Préparation et cuisson : 1 h

- 1 poireau ou 1 botte d'oignons nouveaux
- 1 poivron rouge
- 85 g de fusilli
- 85 g de maïs
- 85 g de petits pois surgelés
- 2 gros œufs
- 15 cl de lait demi-écrémé
- 1 cuill. à soupe de thym
- 50 g de cheddar ou de gruyère râpé
- 2 cuill. à soupe de parmesan râpé
- sel et poivre du moulin

1 Préchauffez le four à 190 °C (therm. 6-7) et huilez un plat profond allant au four.

2 Émincez le poireau, puis épépinez le poivron et coupez-le en lamelles. Faites cuire les pâtes pendant 8 minutes dans une grande casserole d'eau bouillante salée. Ajoutez le poireau, le poivron, le maïs et les petits pois dans la casserole, puis prolongez la cuisson de 2 ou 3 minutes. Égouttez, transvasez le tout dans le plat huilé, puis remuez avec soin.

3 Dans un bol, battez les œufs avec le lait et le thym. Incorporez le cheddar au mélange, puis assaisonnez selon votre goût. Versez le tout dans le plat et remuez délicatement. Parsemez de parmesan, puis enfournez pour 40 minutes. Servez de préférence bien chaud.

• Par portion : 277 Calories – Protéines : 16 g – Glucides : 29 g – Lipides : 12 g (dont 6 g de graisses saturées) – Fibres : 3 g – Sel : 0,7 g – Sucres ajoutés : 2 g.

Littéralement, l'adjectif italien «arrabbiata» signifie «enragé». La sauce arrabbiata est en effet une préparation relevée au piment qui accompagne essentiellement les pâtes.

Lasagnes aux légumes et à la ricotta

Pour 6 personnes
Préparation et cuisson : 1 h30

- 2 poivrons rouges
- 2 oignons rouges
- 2 courgettes
- 1 aubergine
- 6 gousses d'ail
- 3 cuill. à soupe d'huile d'olive
- 280 g de cœurs d'artichauts grillés à l'huile en bocal
- 600 g de sauce arrabbiata
- 2 œufs
- 500 g de ricotta
- 6 cuill. à soupe de lait
- 140 g de parmesan râpé
- 8 feuilles de lasagne
- 25 g de cheddar ou de gruyère râpé
- sel et poivre du moulin

1 Préchauffez le four à 200 °C (therm. 6-7). Épépinez les poivrons, hachez-les grossièrement, puis émincez les oignons. Coupez les courgettes et l'aubergine en petits morceaux, pus réunissez le tout dans un plat profond. Pelez l'ail et ajoutez-le dans le plat. Arrosez d'huile d'olive, assaisonnez généreusement, puis enfournez pour 40 minutes en remuant régulièrement.

2 Égouttez les cœurs d'artichauts. Sans éteindre le four, transférez les légumes rôtis dans un saladier, puis incorporez à la préparation la sauce arrabbiata et les artichauts. Salez, puis poivrez.

3 Dans un saladier, fouettez ensemble les œufs, la ricotta, le lait et le parmesan. Salez, poivrez, puis réservez le mélange.

4 Graissez légèrement un plat rectangulaire profond, puis remplissez-le en alternant un tiers des légumes et un tiers des feuilles de lasagne. Nappez du mélange à base de ricotta, parsemez de cheddar, puis enfournez pour 40 minutes. Servez sans attendre.

• Par portion : 503 Calories – Protéines : 28 g – Glucides : 29 g – Lipides : 31 g (dont 14 g de graisses saturées) – Fibres : 5 g – Sel : 3,19 g – Sucres ajoutés : 3 g.

Ajoutez des dés de jambon pour faire de cette recette un véritable plat complet.

Gratin de macaronis

Pour 4 personnes
Préparation et cuisson : 40 min

- 200 g de macaronis
- 35 cl de lait
- 90 g de beurre
- 50 g de farine
- 15 cl de crème fraîche
- 175 g de cheddar ou de gruyère râpé
- 1 cuill. à café de moutarde de Dijon
- 50 g de parmesan râpé
- 1 cuill. à soupe d'huile d'olive
- 1 gros oignon
- sel et poivre du moulin

1 Préchauffez le four à 180 °C (therm. 6). Faites cuire les macaronis de 8 à 10 minutes dans de l'eau bouillante salée et mettez le lait à chauffer dans une petite casserole. Dans une sauteuse, faites fondre 60 g de beurre, puis saupoudrez de farine et prolongez la cuisson de 1 minute en remuant constamment. Hors du feu, incorporez progressivement le lait chaud et la crème fraîche au mélange, puis portez à ébullition, sans cesser de remuer. Laissez mijoter 5 minutes en mélangeant jusqu'à l'obtention d'une sauce lisse et épaisse. Arrêtez le feu, puis incorporez le cheddar, la moutarde et la moitié du parmesan à la préparation.

2 Égouttez les pâtes et mettez-les dans la sauteuse. Salez, poivrez et brassez bien le tout. Transvasez la préparation dans un grand plat allant au four. Parsemez du reste de parmesan, puis enfournez pour 20 minutes.

3 Pendant ce temps, faites fondre le reste de beurre dans l'huile dans une poêle à feu doux. Pelez l'oignon, émincez-le et faites-le dorer dans la poêle quelques minutes. Parsemez le gratin d'oignon et servez.

• Par portion : 829 Calories – Protéines : 27 g – Glucides : 57 g – Lipides : 56 g (dont 33,1 g de graisses saturées) – Fibres : 2,6 g – Sel : 1,6 g – Pas de sucres ajoutés.

Pour préparer vous-même la sauce, coupez des légumes grillés en petits morceaux et faites-les revenir dans une sauteuse avec 700 g de sauce tomate, parsemez de thym et mélangez le tout.

Cannellonis maison à la ricotta

Pour 4 personnes
Préparation et cuisson : 30 min

- 250 g de feuilles de lasagne fraîches
- 1 cuill. à soupe d'huile d'olive
- 250 g de ricotta
- 50 g de roquette
- 700 g de sauce tomate aux légumes grillés ou de sauce tomate à la napolitaine
- 50 g de cheddar ou de gruyère
- sel et poivre du moulin

1 Mettez les feuilles de lasagne dans un saladier résistant à la chaleur, couvrez-les d'eau bouillante et laissez-les tremper 5 minutes. Pendant ce temps, préchauffez le four à 200 °C (therm. 6-7) et huilez légèrement une plaque de cuisson creuse.

2 Égouttez les feuilles de lasagne dans une passoire. Étalez une feuille sur un plan de travail et déposez une bonne cuillerée de ricotta au milieu. Parsemez de quelques feuilles de roquette, assaisonnez généreusement, puis roulez la feuille sur elle-même et appuyez sur les bords pour les coller. Répétez l'opération avec les autres feuilles de pâte et disposez-les délicatement dans un plat creux allant au four, en les faisant se chevaucher légèrement.

3 Couvrez de sauce tomate, râpez le cheddar au-dessus des lasagnes, puis enfournez pour 12 minutes, jusqu'à ce que la sauce bouillonne. Servez bien chaud.

• Par portion : 440 Calories – Protéines : 19 g – Glucides : 57 g – Lipides : 17 g (dont 8 g de graisses saturées) – Fibres : 4 g – Sel : 3,5 g – Sucres ajoutés : 5 g.

Comme tous les soufflés, ce plat familial doit être servi dès sa sortie du four, car il retombe rapidement.

Soufflé au fromage et aux spaghettis

Pour 3 ou 4 personnes
Préparation et cuisson : 1 h à 1 h 15

- 50 g de spaghettis
- 25 cl de lait
- 50 g de beurre
- 3 cuill. à soupe de chapelure
- 25 g de farine
- 1/2 cuill. à café de moutarde en poudre (au rayon « produits du monde » des grandes surfaces)
- 1 oignon nouveau
- 25 g de pousses d'épinards ou de roquette
- 3 œufs + 1 blanc d'œuf
- 140 g de cheddar ou de gruyère
- sel et poivre du moulin

1 Préchauffez le four à 190 °C (therm. 6-7) et enfournez une plaque de cuisson. Cassez les spaghettis, faites-les cuire de 8 à 10 minutes dans de l'eau bouillante salée, puis égouttez-les.

2 Mettez le lait à chauffer au micro-ondes et faites fondre le beurre dans une casserole. Badigeonnez l'intérieur d'un moule à soufflé de beurre fondu, puis tapissez le fond et les parois de chapelure. Incorporez la farine et la moutarde au reste du beurre fondu, puis prolongez la cuisson de 1 minute. Versez le lait chaud sur le mélange, laissez mijoter jusqu'à l'obtention d'une sauce lisse, puis arrêtez le feu. Pelez l'oignon, hachez-le et coupez les épinards en lamelles. Séparez les jaunes des blancs d'œufs, puis râpez le fromage et réservez-en 2 cuillerées à soupe. Ajoutez l'oignon dans la casserole avec les épinards, les spaghettis, les jaunes d'œufs et le reste du fromage.

3 Montez les blancs en neige, puis incorporez-les à la préparation. Faites une rigole le long du moule à l'aide du pouce et parsemez du fromage réservé. Enfournez pour 35 minutes et servez.

• Par portion (pour 4 personnes) : 436 Calories – Protéines : 20 g – Glucides : 26 g – Lipides : 29 g (dont 16 g de graisses saturées) – Fibres : 0,7 g – Sel : 1,21 g – Pas de sucres ajoutés.

Cette soupe thaïe délicieusement parfumée, connue sous le nom de tom yum, peut aussi bien être préparée avec des crevettes qu'avec du poulet.

Soupe de nouilles aux crevettes

Pour 4 personnes

Préparation et cuisson : 25 min

- 2 tiges de citronnelle
- 1 morceau de gingembre de 3 cm
- 1 piment vert
- 2 gousses d'ail
- 1 petit bouquet de coriandre
- 1/2 citron vert
- 90 cl de bouillon de poulet
- 100 g de nouilles chinoises aux œufs
- 2 cuill. à soupe de sauce nam-pla (à base de poisson)
- 1 pincée de sucre en poudre
- 12 grosses crevettes crues décortiquées avec leur queue
- sel et poivre du moulin

POUR SERVIR

- 4 brins de coriandre
- quartiers de citron vert

1 Écrasez la citronnelle à l'aide d'un rouleau à pâtisserie. Pelez le gingembre, épépinez le piment, puis hachez-les finement avec l'ail. Ciselez la coriandre et pressez le demi-citron.

2 Dans une grande casserole, réunissez le bouillon de poulet, la citronnelle, le gingembre, le piment et l'ail. Portez à ébullition, puis ajoutez les nouilles et laissez mijoter 4 minutes.

3 Incorporez successivement la sauce nam-pla, le jus de citron, le sucre et les crevettes à la préparation. Laissez mijoter 3 ou 4 minutes, jusqu'à ce que les crevettes soient roses.

4 Arrêtez le feu, parsemez de coriandre, puis assaisonnez selon votre goût et mélangez, en ajoutant de la sauce nam-pla, si vous le souhaitez. Répartissez la soupe dans quatre bols, décorez chaque bol d'un brin de coriandre et servez sans attendre, avec des quartiers de citron vert.

• Par portion : 145 Calories – Protéines : 12 g – Glucides : 20 g – Lipides : 2 g (dont 0,1 g de graisses saturées) – Fibres : 0,1 g – Sel : 2,51 g – Sucres ajoutés : 0,7 g.

Le bok choï est une variété de chou chinois.
Comparable aux blettes, il a un léger goût de moutarde.

Filet de porc et nouilles au bok choï

Pour 1 personne
Préparation et cuisson : 35 min

- 1 morceau de gingembre de 3 cm
- 1 gousse d'ail
- 4 oignons nouveaux
- 15 cl de bouillon de poulet
- 2 cuill. à soupe de sauce soja
- 1 cuill. à soupe de xérès sec
- 1 cuill. à café de cinq-épices (cannelle, graines de fenouil, anis étoilé, poivre, clous de girofle à parts égales)
- 140 g de filet de porc
- 50 g de nouilles de riz plates
- 1 cuill. à café de graines de sésame
- 1 filet d'huile de sésame ou d'huile végétale
- 1 *bok choï* (chou chinois)
- sel et poivre du moulin

POUR SERVIR
- 1 poignée de feuilles de coriandre

1 Pelez le gingembre et coupez-le en fines tranches, puis émincez l'ail et lavez les oignons. Réunissez le tout dans une petite casserole avec le bouillon de poulet, la sauce soja, le xérès et le cinq-épices. Couvrez et laissez mijoter 2 minutes à feu doux. Coupez le porc en lamelles, ajoutez-les dans la casserole, puis faites cuire 5 minutes à couvert.

2 Faites tremper les nouilles 5 minutes dans un saladier rempli d'eau, puis transvasez-les dans une casserole d'eau bouillante et laissez-les cuire jusqu'à ce qu'elles soient tendres. Rincez-les sous l'eau froide. Pendant ce temps, faites griller les graines de sésame à sec dans une poêle antiadhésive. Égouttez les nouilles, puis mélangez-les dans un bol avec l'huile et les graines de sésame.

3 Coupez le chou en lamelles dans la largeur, puis ajoutez-les dans la casserole et prolongez la cuisson de 1 minute. Couvrez les nouilles de viande et de légumes, puis arrosez de bouillon. Parsemez de feuilles de coriandre et servez.

• Par portion : 622 Calories – Protéines : 37 g – Glucides : 48 g – Lipides : 31 g (dont 10 g de graisses saturées) – Fibres : 2 g – Sel : 6,18 g – Sucres ajoutés : 1 g.

Cette recette est un grand classique de la cuisine thaïlandaise. Si vous avez le choix entre deux épaisseurs de nouilles, préférez les plus grosses.

Pad thaï

Pour 2 ou 3 personnes
Préparation et cuisson : 30 min

- 125 g de nouilles de riz
- 3 cuill. à soupe de jus de citron vert
- 1/2 cuill. à café de piment de Cayenne
- 2 cuill. café de sucre roux
- 2 cuill. à soupe de sauce nam-pla (à base de poisson)
- 4 oignons nouveaux
- 25 g de cacahuètes salées
- 2 cuill. à soupe d'huile végétale
- 200 g de crevettes tigrées décortiquées avec la queue
- 140 g de germes de soja
- 1 poignée de feuilles de coriandre

POUR SERVIR

- quartiers de citron vert
- sauce au piment doux

1 Faites tremper les nouilles 5 minutes dans un saladier rempli d'eau, puis transvasez-les dans une casserole d'eau bouillante et laissez-les cuire jusqu'à ce qu'elles soient tendres. Rincez-les sous l'eau froide, puis égouttez-les.

2 Dans un bol, mélangez le jus de citron avec le piment de Cayenne, le sucre et la sauce nam-pla. Émincez les oignons, puis hachez les cacahuètes.

3 Mettez l'huile à chauffer dans une poêle et faites frire les crevettes jusqu'à ce qu'elles soient roses. Ajoutez les oignons et les nouilles dans la poêle, puis mélangez le tout. Incorporez la sauce citronnée et les germes de soja avec la moitié des cacahuètes et de la coriandre à la préparation. Prolongez la cuisson de 1 minute.

4 Transférez le pad thaï dans un grand plat. Parsemez du reste des cacahuètes et de la coriandre, puis servez avec des quartiers du citron vert et de la sauce au piment doux.

• Par portion (pour 2 personnes) : 531 Calories – Protéines : 27 g – Glucides : 62 g – Lipides : 20 g (dont 3 g de graisses saturées) – Fibres : 2 g – Sel : 3 g – Sucres ajoutés : 5 g.

Les champignons séchés donnent à la soupe le même goût que la sauce soja, mais ils sont meilleurs pour la santé car ils ne contiennent pas de sel.

Soupe de nouilles au bœuf et aux légumes

Pour 2 personnes

Préparation et cuisson : 30 min

- 1 l d'eau bouillante
- 25 g de bolets ou de cèpes séchés
- 1/2 cube de bouillon de bœuf
- 1 cuill. à soupe d'huile de tournesol
- 1 bifteck dans l'aloyau de 140 g
- 1 piment rouge
- 2 gousses d'ail
- 100 g de brocolis
- 1 cuill. à café de gingembre râpé
- 2 cuill. à soupe de xérès sec
- 100 g de nouilles chinoises aux œufs, fines
- 25 g de cresson
- 100 g de germes de soja

1 Versez l'eau bouillante sur les champignons dans un saladier. Émiettez le demi-cube de bouillon au-dessus du récipient et laissez reposer.

2 Mettez l'huile à chauffer dans une grande sauteuse à feu vif. Faites-y revenir le bifteck 1 ou 2 minutes de chaque côté et réservez dans une assiette. Épépinez le piment, puis émincez-le et hachez l'ail. Détaillez les brocolis en bouquets, puis en deux, et ajoutez-les dans la sauteuse avec le gingembre, le piment et l'ail. Faites revenir le tout 1 minute, arrosez de xérès et mélangez. Incorporez le bouillon et les champignons à la préparation, puis laissez mijoter 4 minutes.

3 Faites cuire les nouilles dans une casserole d'eau bouillante jusqu'à ce qu'elles soient tendres. Hachez le cresson, puis incorporez-le à la soupe avec le soja et prolongez la cuisson de 2 minutes. Coupez la viande en lamelles. Égouttez les nouilles, répartissez-les dans deux bols, puis arrosez-les de soupe et disposez la viande par-dessus.

• Par portion : 488 Calories – Protéines : 30 g – Glucides : 48 g – Lipides : 15 g (dont 2 g de graisses saturées) – Fibres : 2 g – Sel : 2,26 g – Pas de sucres ajoutés.

Achetez les feuilles de riz dans une épicerie asiatique : elles sont généralement plus grandes que celles vendues dans les grandes surfaces.

Rouleaux de printemps aux crevettes

Pour 6 personnes
Préparation et cuisson : 1 h

- 1 morceau de gingembre de 3 cm
- 1 gousse d'ail
- 1 carotte
- 1 grosse poignée de feuilles de menthe
- 1 grosse poignée de feuilles de coriandre
- 25 g de vermicelles de riz
- 50 g de germes de soja
- 1 cuill. à soupe d'huile végétale
- 175 g de crevettes tigrées crues décortiquées
- 4 grandes feuilles de laitue iceberg
- 8 feuilles de pâte de riz rondes de 23 cm de diamètre

POUR SERVIR
- sauce soja

1 Pelez le gingembre, puis hachez-le finement avec l'ail. Pelez la carotte, râpez-la et hachez la menthe avec la coriandre en réservant 8 feuilles de chaque. Faites tremper les vermicelles dans un bol d'eau bouillante, puis égouttez-les. Dans une poêle, mettez l'huile à chauffer. Laissez frire les crevettes avec le gingembre et l'ail hachés 3 minutes dans la poêle. Réunissez dans un saladier la carotte, la menthe et la coriandre avec les crevettes, l'ail, le gingembre et les germes de soja, puis mélangez le tout.

2 Coupez la laitue en deux dans la longueur en retirant la nervure centrale, répartissez la préparation dessus, puis roulez les feuilles.

3 Plongez une feuille de riz dans de l'eau chaude pendant 30 à 40 secondes, puis posez-la sur un torchon humide. Déposez 1 feuille de menthe, 1 feuille de coriandre, puis un rouleau de laitue au centre de la feuille de riz et roulez-la en rentrant les côtés. Répétez l'opération avec les autres rouleaux, puis réservez sous un torchon humide. Au moment de servir, coupez les rouleaux en deux, en biseau, et servez avec de la sauce soja.

• Par portion : 75 Calories – Protéines : 7 g – Glucides : 8 g – Lipides : 2 g (dont 0,2 g de graisses saturées) – Fibres : 0,7 g – Sel : 1,55 g – Sucres ajoutés : 0,1 g.

Les nouilles précuites vous feront gagner beaucoup de temps.

Nouilles sautées au lard et aux légumes

Pour 2 personnes
Préparation et cuisson : 25 min

- 2 cuill. à soupe d'huile d'olive
- 3 tranches de lard fumé
- 100 g d'asperges vertes
- 100 g de brocolis
- 2 gousses d'ail
- 6 oignons nouveaux
- 150 g de nouilles chinoises précuites
- 50 g de petits pois surgelés
- 1 cuill. à soupe d'eau

POUR SERVIR
- sauce soja

1 Mettez l'huile à chauffer dans un wok ou dans une grande poêle. Détaillez le lard en lamelles et faites-les frire dans le wok pendant 2 minutes, en remuant régulièrement.

2 Coupez les asperges et les brocolis en petits morceaux, puis émincez l'ail. Lavez les oignons et coupez-les en deux dans la longueur, puis en quatre. Réunissez le tout dans le wok, laissez revenir 1 minute, puis incorporez les nouilles et les petits pois au mélange. Ajoutez l'eau et laissez cuire 4 minutes à couvert.

3 Mélangez bien tous les ingrédients et servez sans attendre, avec de la sauce soja.

• Par portion : 339 Calories – Protéines : 15 g – Glucides : 27 g – Lipides : 20 g (dont 4 g de graisses saturées) – Fibres : 5 g – Sel : 2,21 g – Pas de sucres ajoutés.

Vous trouverez du vin de riz au rayon «produits du monde» des grandes surfaces, mais vous pouvez le remplacer par du xérès.

Porc sauté et haricots aux nouilles chinoises

Pour 2 personnes
Préparation et cuisson : 30 min

- 250 g de filet de porc dégraissé
- 100 g de haricots mangetout
- 1/2 botte d'oignons nouveaux
- 2 cuill. à soupe d'huile de tournesol
- 150 g de nouilles chinoises précuites

POUR LA SAUCE
- 2 cuill. à café de fécule de maïs
- 6 cuill. à soupe d'eau
- 1 grosse orange
- 3 cuill. à soupe de sauce soja
- 2 cuill. à soupe de vin de riz
- 1 cuill. à soupe de miel liquide

1 Préparez la sauce. Dans un bol, délayez la fécule de maïs avec l'eau. Pressez l'orange et versez le jus dans le bol, puis incorporez le vin de riz avec le miel et laissez reposer.

2 Coupez le porc et les haricots mangetout en lamelles dans la longueur. Lavez les oignons, puis émincez-les en biseau. Mettez l'huile à chauffer dans une poêle à feu vif et laissez revenir les lamelles de porc pendant 5 minutes, en les retournant à mi-cuisson. Baissez le feu, puis ajoutez les oignons et les haricots dans le wok. Prolongez la cuisson de 5 minutes.

3 Remuez la sauce et versez-la dans le wok, puis faites revenir le mélange et laissez bouillonner quelques minutes. Incorporez les nouilles à la préparation, puis faites réchauffer le tout quelques minutes et servez sans attendre.

• Par portion : 490 Calories – Protéines : 34 g – Glucides : 40 g – Lipides : 21 g (dont 4,4 g de graisses saturées) – Fibres : 2,5 g – Sel : 4,98 g – Sucres ajoutés : 6,2 g.

Les légumes apportent du croquant à cette soupe savoureuse... et excellente pour la santé !

Soupe de nouilles chinoises aux légumes

Pour 4 personnes
Préparation et cuisson : 10 min

- 4 oignons nouveaux
- 100 g de champignons de Paris
- 250 g de légumes croquants (chou blanc, carotte, laitue, poivrons rouge et vert)
- 2 l de bouillon de légumes
- 1 cuill. à café de gingembre râpé
- 100 g de nouilles de riz
- 1 citron vert
- sel et poivre du moulin

1 Lavez les oignons, puis émincez-les avec les champignons. Coupez les légumes en petits morceaux. Dans une grande casserole, réunissez le bouillon de légumes et le gingembre, puis portez le tout à ébullition. Ajoutez les champignons et les nouilles dans la casserole. Laissez mijoter à feu doux pendant 2 minutes.

2 Incorporez les oignons et les légumes au mélange, puis prolongez la cuisson de 30 secondes. Pressez le citron et versez le jus dans la casserole. Salez, poivrez, puis servez sans attendre.

• Par portion : 117 Calories – Protéines : 6 g – Glucides : 23 g – Lipides : 1 g (dont 0,1 g de graisses saturées) – Fibres : 1,4 g – Sel : 1,66 g – Pas de sucres ajoutés.

Servez ces croquettes avec un filet de citron, elles seront plus savoureuses !

Nouilles sautées et croquettes de crevettes

Pour 2 personnes
Préparation et cuisson : 50 min

- 140 g de nouilles chinoises aux œufs
- 1 gousse d'ail
- 1 petit piment rouge
- 2 oignons nouveaux
- 50 g de haricots mangetout
- 1 cuill. à soupe d'huile de tournesol
- 1 cuill. à café bombée de gingembre râpé
- 2 cuill. à soupe de sauce soja

POUR LES CROQUETTES DE CREVETTES

- 1 oignon nouveau
- 1 petit piment rouge
- 2 cuill. à soupe de coriandre hachée
- 1 pincée de sel
- 200 g de crevettes tigrées crues et décortiquées
- 1 ou 2 cuill. à soupe de farine
- 2 cuill. à soupe d'huile de tournesol

POUR SERVIR

- 1 cuill. à soupe de graines de sésame
- 1 cuill. à soupe de coriandre hachée

1 Préparez les croquettes de crevettes. Lavez l'oignon, hachez-le, puis épépinez le piment. Mettez-les dans le bol d'un robot, avec la coriandre et le sel. Mixez jusqu'à l'obtention d'une pâte épaisse, puis ajoutez les crevettes et mixez. Façonnez quatre croquettes et enrobez-les de farine. Mettez l'huile à chauffer dans une poêle à feu moyen, puis faites frire les croquettes 3 minutes de chaque côté et réservez au chaud.

2 Faites cuire les nouilles dans une casserole d'eau bouillante jusqu'à ce qu'elles soient tendres. Écrasez l'ail, puis épépinez le piment et hachez-le. Lavez les oignons, émincez-les, puis coupez les haricots mangetout en lamelles dans la longueur. Mettez l'huile à chauffer dans un wok, puis laissez revenir l'ail, le piment et le gingembre pendant 1 minute. Ajoutez les haricots et les oignons, puis prolongez la cuisson de 2 minutes. Arrêtez le feu.

3 Égouttez les nouilles, puis incorporez-les au mélange avec la sauce soja. Faites griller les graines de sésame à sec dans une poêle antiadhésive. Répartissez la préparation dans deux assiettes avec les croquettes de crevettes. Parsemez de graines de sésame et de coriandre, puis servez.

• Par portion : 621 Calories – Protéines : 33 g – Glucides : 61 g – Lipides : 29 g (dont 4 g de graisses saturées) – Fibres : 2 g – Sel : 3,59 g – Sucres ajoutés : 1 g.

La sauce aux haricots noirs est un mélange de haricots noirs salés réduits en purée, de sauce soja, de sucre et d'épices.

Nouilles au porc et aux haricots noirs

Pour 4 personnes
Préparation et cuisson : 35 min

- 1 morceau de gingembre de 2 cm
- 2 gousses d'ail
- 1 gros piment rouge
- 6 oignons nouveaux
- 2 cuill. à soupe d'huile végétale
- 450 g de porc haché
- 350 g de sauce aux haricots noirs (dans les épiceries asiatiques)
- 100 g de nouilles de riz

1 Pelez le gingembre et râpez-le, puis écrasez l'ail. Épépinez le piment et hachez-le finement. Lavez les oignons, puis émincez-les.

2 Mettez l'huile à chauffer dans une grande casserole à feu doux, puis faites revenir l'ail, le gingembre et le piment pendant 2 minutes. Ajoutez le porc et prolongez la cuisson de 4 ou 5 minutes, en émiettant la viande à l'aide d'une cuillère. Incorporez la sauce aux haricots noirs à la préparation et prolongez la cuisson de 5 minutes, en remuant régulièrement.

3 Pendant ce temps, faites tremper les nouilles de riz dans de l'eau, puis transvasez-les dans une casserole d'eau bouillante et laissez-les cuire jusqu'à ce qu'elles soient tendres. Rincez-les sous l'eau froide, puis égouttez-les. Mélangez-les avec le porc et les oignons, puis servez sans attendre.

• Par portion : 405 Calories – Protéines : 31 g – Glucides : 31 g – Lipides : 18 g (dont 5,3 g de graisses saturées) – Fibres : 2 g – Sel : 5,78 g – Sucres ajoutés : 3,9 g.

Le shiitaké est l'un des champignons les plus cultivés au monde. Originaire d'Asie, son arôme est intense. Il est vendu aussi bien frais que séché.

Vermicelles sautés aux légumes

Pour 3 personnes
Préparation et cuisson : 25 min

- 100 g de vermicelles de riz
- 1 cuill. à soupe de sauce soja
- 1 cuill. à soupe de sauce nam-pla (à base de poisson)
- 3 cuill. à soupe de sauce d'huîtres
- 4 oignons nouveaux
- 3 gousses d'ail
- 1 piment rouge
- 100 g de champignons shiitaké ou de gros champignons de Paris
- 2 *bok choï* (choux chinois)
- 200 g de brocolis
- 2 cuill. à soupe d'huile de tournesol

1 Faites tremper les vermicelles dans de l'eau bouillante pendant 4 minutes. Égouttez-les, rincez-les sous l'eau froide et réservez.

2 Dans un bol, mélangez les trois sauces. Lavez les oignons et hachez-les avec l'ail. Épépinez le piment et hachez-le, puis émincez les champignons et coupez les bok choï en lamelles. Détaillez les brocolis en bouquets. Mettez l'huile à chauffer dans un wok ou dans une grande poêle et faites revenir les oignons avec l'ail et le piment pendant 20 secondes.

3 Ajoutez les champignons et les brocolis dans le wok. Laissez revenir le tout 1 minute, incorporez le bok choï et le mélange de sauces à la préparation, puis prolongez la cuisson de 2 minutes – versez un peu d'eau dans le wok si la sauce épaissit trop. Ajoutez les vermicelles, mélangez bien le tout et servez.

• Par portion : 241 Calories – Protéines : 10 g – Glucides : 34 g – Lipides : 8 g (dont 1 g de graisses saturées) – Fibres : 2,5 g – Sel : 3,85 g – Sucres ajoutés : 1,1 g.

Pour la crème de maïs, portez à ébullition une casserole avec 1 l d'eau et 420 g de maïs, ajoutez un peu de sucre et d'amidon de maïs, 1 pincée de sel, puis laissez bouillir 6 minutes.

Soupe de nouilles au poulet et au maïs

Pour 4 personnes
Préparation et cuisson : 20 min

- 100 g de nouilles chinoises précuites
- 2 feuilles de citron vert
- 2 blancs de poulet cuits, sans la peau
- 1,5 l de bouillon de poulet
- 1 cuill. à café de gingembre râpé
- 2 cuill. à soupe de coriandre finement hachée
- 420 g de crème de maïs
- sel

1 Faites tremper les nouilles dans de l'eau bouillante pendant 4 minutes. Égouttez-les, rincez-les, égouttez-les de nouveau, puis répartissez-les dans quatre bols à soupe.

2 Ciselez les feuilles de citron vert et détaillez le poulet en lamelles. Dans une casserole, réunissez le bouillon de poulet, les feuilles de citron vert, le gingembre et la coriandre, puis portez le tout à ébullition.

3 Incorporez la crème de maïs et le poulet au bouillon, réchauffez pendant 2 minutes et versez le tout sur les nouilles à l'aide d'une louche.

• Par portion : 350 Calories – Protéines : 24 g – Glucides : 59 g – Lipides : 3 g (dont 0,9 g de graisses saturées) – Fibres : 1,7 g – Sel : 2,68 g – Sucres ajoutés : 7,7 g.

L'huile de sésame est une huile végétale extraite des graines de sésame. Elle est souvent utilisée dans la cuisine asiatique.

Nouilles sautées au poulet et aux épinards

Pour 1 personne
Préparation et cuisson : 25 min

- 1 morceau de gingembre de 3 cm
- 1 gousse d'ail
- 1 orange non traitée
- 1 cuill. à soupe de miel liquide
- 1 cuill. à café de sauce soja
- 60 g de nouilles de riz
- 2 poignées d'épinards
- 1 cuill. à soupe d'huile de sésame
- 1 blanc de poulet sans la peau
- 1 cuill. à soupe d'huile végétale
- 1 pincée de piment en poudre
- sel et poivre du moulin

POUR SERVIR (facultatif)
- sauce soja

1 Pelez le gingembre, râpez-le, puis hachez finement l'ail. Râpez le zeste de l'orange et pressez le fruit. Dans un saladier, réunissez le gingembre, l'ail, le zeste et le jus d'orange, puis ajoutez le miel, la sauce soja et mélangez le tout au fouet.

2 Faites tremper les nouilles 4 minutes dans de l'eau bouillante. Hachez grossièrement les épinards, puis égouttez-les dans une passoire. Versez les nouilles et leur eau de trempage dans la passoire. Remuez jusqu'à ce que les épinards fondent, arrosez d'huile de sésame et mélangez délicatement.

3 Coupez le poulet en lamelles. Mettez l'huile végétale à chauffer dans une sauteuse à feu vif, puis faites frire le poulet pendant 5 minutes. Versez la sauce à l'orange dans la sauteuse et laissez bouillonner 2 minutes en remuant. Ajoutez les nouilles, les épinards et le piment dans le wok, puis faites réchauffer le tout en mélangeant délicatement. Assaisonnez et servez éventuellement avec de la sauce soja.

• Par portion : 721 Calories – Protéines : 44 g – Glucides : 85 g – Lipides : 25 g (dont 4 g de graisses saturées) – Fibres : 3 g – Sel : 1,4 g – Sucres ajoutés : 12 g.

Si ce n'est pas la saison des asperges, utilisez des asperges vertes surgelées.

Nouilles sautées aux asperges et au poivron

Pour 2 personnes
Préparation et cuisson : 40 min

- 1 cuill. à soupe de graines de sésame
- 175 g de nouilles chinoises aux œufs
- 2 cuill. à café d'huile de sésame grillé
- 1 petit piment rouge
- 1 poivron rouge
- 2 gousses d'ail
- 1/2 botte d'oignons nouveaux
- 1 cuill. à soupe d'huile de tournesol
- 1 cuill. à soupe de gingembre haché
- 100 g de pointes d'asperges
- 1/2 cuill. à café de cinq-épices (cannelle, graines de fenouil, anis étoilé, poivre, clous de girofle à parts égales)
- 1/2 cuill. à café de sucre roux
- 2 cuill. à café de sauce soja
- 4 cuill. à soupe d'eau

1 Préchauffez un wok ou une sauteuse à feu vif, puis faites griller les graines de sésame à sec et réservez-les dans un bol.

2 Faites cuire les nouilles dans un grand volume d'eau bouillante salée jusqu'à ce qu'elles soient tendres, égouttez-les et mélangez-les avec l'huile de sésame.

3 Épépinez le piment et le poivron, puis hachez le piment et coupez le poivron en gros morceaux. Émincez l'ail, puis lavez les oignons et hachez-les. Versez l'huile de tournesol dans le wok et faites sauter le piment avec le gingembre pendant 30 secondes. Ajoutez les morceaux de poivron, laissez-les revenir quelques minutes, puis incorporez les pointes d'asperges et l'ail au mélange. Prolongez la cuisson de 2 minutes et mettez les oignons, le cinq-épices, le sucre, la sauce soja et l'eau dans le wok. Mélangez le tout. Transvasez les nouilles et les graines de sésame dans le wok, laissez chauffer quelques minutes, puis servez.

• Par portion : 523 Calories – Protéines : 15 g – Glucides : 73 g – Lipides : 21 g (dont 2,2 g de graisses saturées) – Fibres : 3,2 g – Sel : 1,33 g – Sucres ajoutés : 1,4 g.

Vous pouvez remplacer le tofu par des crevettes tigrées crues décortiquées, en les faisant revenir de 30 secondes à 1 minute, jusqu'à ce qu'elles soient roses.

Tofu sauté aux légumes

Pour 2 personnes
Préparation et cuisson : 30 min

- 1 cuill. à soupe de sauce soja
- 1 cuill. à soupe de sauce au piment
- 1 cuill. à café d'huile de sésame
- 350 g de tofu ferme
- 50 g de nouilles chinoises aux œufs
- 1 cuill. à soupe d'huile végétale
- 1 poivron rouge
- 6 oignons nouveaux
- 1 cuill. à soupe de noix de cajou
- 200 g de *bok choï* (choux chinois) ou d'épinards
- 85 g de haricots mangetout

1 Dans un saladier, mélangez la sauce soja avec la sauce au piment et l'huile de sésame. Coupez le tofu en dés de 2 cm de côté et laissez-les mariner dans le mélange. Faites cuire les nouilles dans une grande casserole d'eau bouillante salée jusqu'à ce qu'elles soient tendres, puis égouttez-les et remettez-les dans la casserole. Versez l'huile végétale dans un wok ou dans une sauteuse à feu vif. Lorsque l'huile est chaude, faites revenir le tofu 2 ou 3 minutes, puis transvasez-le dans la casserole.

2 Épépinez le poivron et coupez-le en dés. Lavez les oignons, coupez-les en tronçons de 5 cm, puis hachez grossièrement les noix de cajou. Coupez les feuilles de bok choï et hachez leurs tiges en diagonale. Réunissez dans le wok les tiges de bok choï, le poivron, les oignons, les haricots et les noix de cajou. Faites sauter le tout 3 ou 4 minutes.

3 Incorporez les nouilles, le tofu et les feuilles de bok choï à la préparation, puis remuez et servez.

• Par portion : 403 Calories – Protéines : 23 g – Glucides : 33 g – Lipides : 21 g (dont 2 g de graisses saturées) – Fibres : 3 g – Sel : 3,89 g – Sucres ajoutés : 1 g.

Tous les ingrédients de ce plat cuisent très rapidement.
Les végétariens peuvent remplacer le porc par des champignons.

Nouilles sautées au porc et aux petits pois

Pour 4 personnes
Préparation et cuisson : 25 min

- 450 g de filets de porc
- 1 morceau de gingembre de 3 cm
- 2 gousses d'ail
- 2 cuill. à soupe d'huile de tournesol
- 250 g de chou frisé
- 30 cl de bouillon de légumes ou de poulet
- 1 cuill. à soupe de sauce soja
- 100 g de petits pois surgelés
- 300 g de nouilles chinoises précuites

POUR SERVIR
- 2 cuill. à soupe de coriandre hachée

1 Coupez le porc en lamelles de 1 cm de large. Râpez le gingembre et hachez finement l'ail. Mettez l'huile à chauffer dans un wok ou dans une sauteuse à feu vif, puis laissez revenir les lamelles de porc pendant 3 ou 4 minutes. Ajoutez le gingembre et prolongez la cuisson de 1 ou 2 minutes.

2 Hachez le chou, puis incorporez-le à la viande en faisant revenir le tout à feu vif. Arrosez de bouillon et de sauce soja.

3 Baissez le feu, puis transvasez les petits pois et les nouilles dans le wok. Remuez et laissez mijoter 5 minutes, jusqu'à ce que le chou soit cuit, mais encore croustillant. Parsemez de coriandre et servez.

• Par portion : 337 Calories – Protéines : 31 g – Glucides : 28 g – Lipides : 12 g (dont 2 g de graisses saturées) – Fibres : 4 g – Sel : 1,84 g – Pas de sucres ajoutés.

Cette soupe très riche en fibres
est excellente pour la santé.

Minestrone d'hiver

Pour 6 personnes
Préparation et cuisson : 50 min

- 1 poireau
- 175 g de carottes
- 3 ou 4 branches de céleri
- 1 gousse d'ail
- 2 cuill. à soupe d'huile d'olive
- 175 g de pommes de terre
- 1,5 l de bouillon de légumes ou d'eau bouillante
- 1 feuille de laurier
- 800 g de tomates concassées en conserve
- 50 g de vermicelles
- 3 cuill. à soupe de persil haché
- 400 g de haricots blancs en conserve
- 85 g de petits pois surgelés
- sel et poivre du moulin

POUR SERVIR
- parmesan râpé

1 Coupez le poireau, les carottes et le céleri en petits morceaux. Mettez l'huile à chauffer dans une grande casserole à fond épais, puis faites revenir les morceaux de légumes 2 ou 3 minutes. Hachez l'ail, incorporez-le au mélange et prolongez la cuisson de 1 minute.

2 Détaillez les pommes de terre en dés. Versez le bouillon de légumes dans la casserole, ajoutez la feuille de laurier, les pommes de terre et les tomates, puis portez à ébullition. Laissez mijoter à feu doux 10 minutes à couvert.

3 Ajoutez les vermicelles et le persil à la soupe, salez, poivrez, puis prolongez la cuisson de 10 à 15 minutes. Rincez les haricots blancs, égouttez-les, et versez-les dans la casserole avec les petits pois. Faites réchauffer le tout 3 ou 4 minutes, puis répartissez le minestrone dans des bols. Parsemez de parmesan râpé et servez.

• Par portion : 279 Calories – Protéines : 16 g – Glucides : 44 g – Lipides : 6 g (dont 1 g de graisses saturées) – Fibres : 12 g – Sel : 1,07 g – Pas de sucres ajoutés.

Ce bouillon de poulet doit son goût particulier
à l'emploi de cinq-épices !

Pot-au-feu de poulet aux nouilles chinoises

Pour 4 personnes
Préparation et cuisson : 40 min

- 4 blancs de poulet sans la peau
- 2 grosses carottes
- 2 cuill. à soupe d'huile végétale
- 1/2 cuill. à café de cinq-épices (cannelle, graines de fenouil, anis étoilé, poivre, clous de girofle à parts égales)
- 1 l d'eau
- 2 cubes de bouillon de poulet
- 200 g de maïs en conserve ou 175 g surgelé
- 175 g de petits pois surgelés
- 1/2 cuill. à café de sauce soja
- 125 g de nouilles de riz
- 1 salade verte
- sel et poivre du moulin

1 Coupez le poulet en lamelles, puis pelez les carottes et coupez-les en bâtonnets de la même taille que les morceaux de poulet. Mettez l'huile à chauffer dans une grande casserole, puis faites-y revenir les carottes, le poulet et le cinq-épices. Salez, poivrez et prolongez la cuisson de 5 minutes.

2 Portez l'eau à ébullition, versez-la dans une casserole, puis émiettez les cubes de bouillon dans l'eau. Portez de nouveau à ébullition, remuez bien et laissez mijoter 10 minutes à couvert. Égouttez le maïs, puis ajoutez-le dans la casserole avec les petits pois et la sauce soja. Prolongez la cuisson de quelques minutes.

3 Pendant ce temps, cassez les nouilles en deux et faites-les tremper dans de l'eau bouillante pendant 4 minutes. Détaillez la salade en lamelles.

4 Égouttez les pâtes, puis incorporez-les délicatement dans la casserole avec les feuilles de salade. Assaisonnez selon votre goût, puis servez bien chaud.

• Par portion : 411 Calories – Protéines : 41 g – Glucides : 44 g – Lipides : 9 g (dont 1 g de graisses saturées) – Fibres : 5 g – Sel : 2,05 g – Pas de sucres ajoutés.

Les peppadews sont de petits poivrons rouges préparés à l'aigre-douce.
Ils sont vendus en grande surface.

Trompetti aux poivrons et à la roquette

Pour 4 personnes
Préparation et cuisson : 20 min

- 350 g de trompetti
- 1 gros oignon
- 2 grosses gousses d'ail
- 2 cuill. à café d'huile d'olive
- 375 g de *peppadews*
- 85 g de roquette ou de cresson
- sel et poivre du moulin

1 Faites cuire les pâtes de 8 à 10 minutes dans une grande casserole d'eau bouillante salée.

2 Pendant ce temps, hachez grossièrement l'oignon, puis écrasez l'ail. Mettez l'huile à chauffer dans une grande sauteuse à feu moyen et faites frire l'oignon pendant 5 ou 6 minutes. Ajoutez l'ail dans la sauteuse et prolongez la cuisson de 2 ou 3 minutes. Égouttez les poivrons en réservant leur jus, puis incorporez-les au mélange et laissez revenir l'ensemble 2 minutes. Transvasez le contenu de la casserole dans le bol d'un robot. Mixez le tout avec 5 cuillerées à soupe de jus de trempage des poivrons et 5 cuillerées à soupe d'eau de cuisson des pâtes, jusqu'à l'obtention d'une sauce onctueuse.

3 Égouttez les pâtes, remettez-les dans la casserole, puis nappez-les de sauce aux poivrons et assaisonnez selon votre goût. Incorporez délicatement la roquette à la préparation et laissez chauffer le tout brièvement. Servez sans attendre.

• Par portion : 375 Calories – Protéines : 13 g – Glucides : 77 g – Lipides : 4 g (dont 1 g de graisses saturées) – Fibres : 6 g – Sel : trace – Pas de sucres ajoutés.

Pour plus d'originalité, ajoutez une poignée de pousses d'épinards ou de germes de soja juste avant la fin de la cuisson.

Potage de poulet aux légumes et aux nouilles chinoises

Pour 4 personnes
Préparation et cuisson : 20 min

- 1 morceau de gingembre de 3 cm
- 1 gousse d'ail
- 2 carottes
- 2 blancs de poulet sans la peau
- 2 poireaux
- 175 g de champignons de Paris
- 3 cuill. à soupe de sauce soja
- 1,5 l d'eau chaude
- 85 g de nouilles chinoises aux œufs
- sel et poivre du moulin

1 Pelez le gingembre et râpez-le, puis émincez l'ail. Pelez les carottes et coupez-les en bâtonnets. Détaillez les blancs de poulet et les poireaux en lamelles, puis émincez les champignons.

2 Versez la sauce soja et l'eau dans une casserole. Ajoutez l'ail, le gingembre, les carottes et le poulet. Portez à ébullition, puis laissez mijoter 5 minutes.

3 Incorporez les poireaux, les champignons et les nouilles à la préparation, puis prolongez la cuisson de 4 minutes. Assaisonnez selon votre goût et servez bien chaud dans des bols.

• Par portion : 203 Calories – Protéines : 22 g – Glucides : 23 g – Lipides : 3 g (pas de graisses saturées) – Fibres : 3 g – Sel : 2,53 g – Pas de sucres ajoutés.

Pour une recette plus classique, remplacez l'origan séché par du basilic en poudre, et l'origan par des feuilles de basilic.

Penne aux tomates et à l'origan

Pour 4 personnes
Préparation et cuisson : 20 min

- 1 oignon
- 2 gousses d'ail
- 450 g de tomates cerises
- 1 pincée de sucre blond
- 1 cuill. à café d'origan séché ou 1 cuill. à soupe d'origan fraîchement haché
- 5 cuill. à soupe de bouillon de légumes
- 350 g de penne rigate
- sel et poivre du moulin

POUR SERVIR

- quelques feuilles d'origan

1 Pelez l'oignon et hachez-le, puis écrasez l'ail. Réunissez-les dans une casserole avec les tomates cerises, le sucre, l'origan et le bouillon de légumes. Portez à ébullition, puis laissez mijoter 15 minutes à feu doux. Assaisonnez selon votre goût.

2 Pendant ce temps, faites cuire les pâtes de 8 à 10 minutes dans une grande casserole d'eau bouillante salée. Égouttez-les, puis mélangez-les à la sauce et parsemez le tout de feuilles d'origan.

• Par portion : 343 Calories – Protéines : 12 g – Glucides : 73 g – Lipides : 2 g (pas de graisses saturées) – Fibres : 4 g – Sel : 0,13 g – Sucres ajoutés : 1 g.

La châtaigne d'eau est une racine de plante aquatique. C'est un ingrédient classique de la cuisine asiatique que l'on trouve parfois vendu en conserve. Vous pouvez la remplacer par du cœur de palmier.

Poêlée de nouilles de riz sucrée-salée

Pour 4 personnes
Préparation et cuisson : 40 min

- 140 g de nouilles de riz plates
- 2 gousses d'ail
- 2 poivrons rouges
- 2 carottes
- 2 courgettes
- 100 g de haricots mangetout
- 220 g de châtaignes d'eau
- 1 botte d'oignons nouveaux
- 1 cuill. à soupe d'huile végétale ou de tournesol
- 1/2 cuill. à soupe de gingembre râpé
- 2 cuill. à soupe de xérès sec

POUR LA SAUCE

- 6 cuill. à soupe de sauce soja
- 1 cuill. à café de sucre en poudre
- 1/2 cuill. à café de fécule de maïs
- 5 cuill. à soupe de jus d'orange
- 1/2 cuill. à café de zeste d'orange non traitée, finement râpé

1 Faites tremper les nouilles dans de l'eau bouillante pendant 4 minutes. Égouttez-les et rincez-les sous l'eau froide, puis réservez.

2 Préparez la sauce. Dans un bol, mélangez la sauce soja avec le sucre, la fécule de maïs, le jus et le zeste d'orange.

3 Hachez finement l'ail, puis épépinez les poivrons et coupez-les en bâtonnets. Détaillez les carottes, les courgettes, les haricots, les châtaignes et les oignons en lamelles. Mettez l'huile à chauffer dans un wok, puis faites frire le gingembre et l'ail pendant 1 minute. Ajoutez le xérès, le poivron et prolongez la cuisson de 1 minute. Incorporez les carottes, les courgettes et les haricots au mélange. Laissez cuire le tout 3 minutes, puis ajoutez les châtaignes et les oignons et prolongez la cuisson de 1 minute.

4 Transvasez les nouilles et la sauce dans le wok, puis faites réchauffer le tout. Servez sans attendre.

• Par portion : 240 Calories – Protéines : 6 g – Glucides : 47 g – Lipides : 3 g (pas de graisses saturées) – Fibres : 4 g – Sel : 2,77 g – Sucres ajoutés : 1,6 g.

Utilisez des feuilles de roquette si vous n'avez pas de pousses d'épinards.

Spaghettis à la mozzarella et aux tomates

Pour 2 personnes
Préparation et cuisson : 25 min

- 140 g de spaghettis
- 250 g de tomates cerises
- 1 grosse gousse d'ail
- 2 cuill. à café d'huile d'olive
- 50 g de pousses d'épinards
- 1 poignée de feuilles de basilic
- 125 g de mozzarella à 50 % de matières grasses
- sel et poivre du moulin

1 Cassez les spaghettis en deux et faites-les cuire de 8 à 10 minutes dans une grande casserole d'eau bouillante salée. Égouttez-les, puis essuyez la casserole.

2 Coupez les tomates en deux et hachez finement l'ail. Mettez l'huile à chauffer dans la casserole, puis ajoutez les tomates, l'ail, les pousses d'épinards et le basilic. Salez, poivrez et laissez cuire à feu moyen en remuant, jusqu'à ce que les pousses d'épinards commencent à fondre.

3 Égouttez la mozzarella et coupez-la en petits morceaux, puis incorporez-les à la préparation avec les spaghettis. Prolongez la cuisson à feu doux jusqu'à ce que les pâtes soient chaudes et que le fromage fonde. Assaisonnez selon votre goût, puis servez sans attendre.

• Par portion : 413 Calories – Protéines : 23 g – Glucides : 52 g – Lipides : 11 g (dont 5 g de graisses saturées) – Fibres : 4 g – Sel : 0,21 g – Pas de sucres ajoutés.

Les pâtes apportent des sucres lents, qui sont les principaux fournisseurs d'énergie pour notre corps.

Farfalle aux légumes d'été

Pour 4 personnes
Préparation et cuisson : 30 min

- 200 g de farfalle
- 175 g de fèves fraîches ou surgelées (650 g non écossées)
- 1 gros oignon
- 2 gousses d'ail
- 1 poignée de feuilles de basilic
- 2 grosses courgettes
- 6 tomates olivettes mûres
- 1 cuill. à soupe d'huile d'olive
- 1 filet de Tabasco
- sel et poivre du moulin

1 Faites cuire les pâtes de 8 à 10 minutes dans une grande casserole d'eau bouillante salée. Ajoutez les fèves dans l'eau 3 minutes avant la fin du temps de cuisson si elles sont fraîches et 2 minutes avant si elles sont surgelées.

2 Pendant ce temps, hachez l'oignon et l'ail, ciselez le basilic, puis coupez les courgettes en bâtonnets et les tomates en quartiers. Mettez l'huile à chauffer dans une grande poêle à feu moyen et laissez revenir l'oignon pendant 1 ou 2 minutes. Ajoutez l'ail et les courgettes dans la poêle, puis faites sauter le tout pendant 2 ou 3 minutes. Incorporez les tomates au mélange, arrosez de Tabasco et prolongez la cuisson de 2 ou 3 minutes en remuant constamment.

3 Égouttez les pâtes et les fèves, puis ajoutez-les à la préparation. Parsemez de basilic et mélangez l'ensemble soigneusement. Assaisonnez selon votre goût, puis servez dans un grand saladier.

• Par portion : 284 Calories – Protéines : 12 g – Glucides : 51 g – Lipides : 5 g (dont 1 g de graisses saturées) – Fibres : 7 g – Sel : 0,1 g – Pas de sucres ajoutés.

Pour une recette plus sophistiquée, ajoutez des lamelles de saumon fumé et remplacez le persil par de l'aneth.

Spaghettis aux petits pois et au fromage

Pour 2 personnes
Préparation et cuisson : 25 min

- 140 g de spaghettis
- 100 g de petits pois
- 1 petit oignon
- 1 citron non traité
- 2 cuill. à café d'huile d'olive
- 100 g de fromage à tartiner à la ciboulette et à l'oignon
- 2 cuill. à soupe de parmesan râpé
- sel et poivre du moulin

POUR SERVIR

- 1 cuill. à soupe de persil plat haché
- 1 cuill. à soupe de parmesan râpé

1 Faites cuire les spaghettis de 10 à 12 minutes dans une grande casserole d'eau bouillante salée. Ajoutez les petits pois dans l'eau 2 ou 3 minutes avant la fin du temps de cuisson.

2 Pendant ce temps, hachez l'oignon, puis râpez finement le zeste du citron. Mettez l'huile à chauffer à feu doux dans une autre casserole et faites frire l'oignon dans l'huile jusqu'à ce qu'il soit translucide. Délayez le fromage à tartiner avec 3 cuillerées à soupe de l'eau de cuisson des pâtes, puis versez-le dans la casserole et laissez chauffer. Incorporez le zeste de citron avec le parmesan à la préparation.

3 Égouttez soigneusement les spaghettis et les petits pois, puis remettez-les dans la casserole. Arrosez-les de sauce et mélangez délicatement le tout. Assaisonnez, puis répartissez la préparation dans deux assiettes creuses. Parsemez de persil et de parmesan, puis servez.

• Par portion : 420 Calories – Protéines : 22 g – Glucides : 61 g – Lipides : 11 g (dont 3 g de graisses saturées) – Fibres : 5 g – Sel : 0,83 g – Pas de sucres ajoutés.

Vous trouverez du bouillon de légumes en poudre dans les magasins bio, mais vous pouvez le remplacer par un demi-cube de bouillon émietté.

Nouilles chinoises aux crevettes et aux tomates

Pour 4 personnes
Préparation et cuisson : 35 min

- 1 oignon
- 1 gousse d'ail
- 2 cuill. à soupe d'huile d'olive
- 1 cuill. à soupe bombée de purée de coriandre (au rayon « épices et condiments »)
- 1 pincée de piment en poudre
- 400 g de tomates concassées en conserve
- 75 cl d'eau chaude
- 1 cuill. à soupe bombée de purée de tomates
- 1 cuill. à soupe de bouillon de légumes en poudre
- 125 g de nouilles chinoises aux œufs
- 400 g de crevettes surgelées cuites décortiquées
- sel et poivre du moulin

POUR SERVIR (facultatif)

- piment en poudre

1 Hachez grossièrement l'oignon et l'ail. Mettez l'huile à chauffer dans un wok ou dans une sauteuse, puis faites revenir l'oignon avec la purée de coriandre et le piment pendant 5 minutes. Incorporez l'ail aux tomates concassées. Ajoutez-les avec l'eau chaude et la purée de tomates dans le wok. Saupoudrez le tout de bouillon de légumes en poudre, assaisonnez généreusement, puis portez à ébullition en remuant et laissez mijoter 15 minutes.

2 Pendant ce temps, coupez les nouilles en morceaux et faites-les cuire dans une casserole d'eau bouillante salée jusqu'à ce qu'elles soient tendres.

3 Égouttez les nouilles et ajoutez-les dans le wok avec les crevettes. Remuez bien, puis laissez décongeler les crevettes pendant 2 minutes. Rectifiez l'assaisonnement selon votre goût et, si vous le souhaitez, ajoutez du piment.

• Par portion : 311 Calories – Protéines : 29 g – Glucides : 29 g – Lipides : 10 g (dont 1 g de graisses saturées) – Fibres : 2 g – Sel : 4,76 g – Pas de sucres ajoutés.

Si vous ne trouvez pas de pousses de blettes, vous pouvez les remplacer par des épinards ou des choux de Bruxelles cuits, puis émincés.

Pappardelle aux légumes verts

Pour 4 personnes
Préparation et cuisson : 35 min

- 350 g de pappardelle
- 175 g de chou-fleur
- 175 g de brocolis
- 15 cl de sauce tomate
- 120 g de pousses de blettes
- 1 filet d'huile d'olive
- sel et poivre du moulin

POUR SERVIR (facultatif)

- parmesan râpé

1 Faites cuire les pâtes de 8 à 10 minutes dans une grande casserole d'eau bouillante salée.

2 Pendant ce temps, détaillez le chou-fleur et les brocolis en bouquets, puis faites cuire le chou-fleur 6 minutes dans une autre casserole d'eau bouillante salée. Ajoutez les brocolis au chou-fleur et prolongez la cuisson de 3 ou 4 minutes, puis égouttez-les et réservez-les au chaud. Faites chauffer la sauce tomate dans une petite casserole.

3 Égouttez les pâtes, mettez-les dans un saladier avec les blettes, puis arrosez d'huile d'olive et assaisonnez le tout. Incorporez délicatement les brocolis, le chou-fleur et la sauce tomate à la préparation. Servez éventuellement avec du parmesan.

• Par portion : 498 Calories – Protéines : 20 g – Glucides : 99 g – Lipides : 5 g (dont 1 g de graisses saturées) – Fibres : 9 g – Sel : 0,72 g – Sucres ajoutés : 1 g.

Les pignons de pin se marient aussi très bien avec les ingrédients de cette recette. Comme pour les amandes, faites-les griller à sec dans une poêle antiadhésive.

Farfalle au poulet et aux brocolis

Pour 4 personnes
Préparation et cuisson : 20 min

- 350 g de farfalle
- 300 g de brocolis
- 3 blancs de poulet sans la peau
- 2 gousses d'ail
- 1 cuill. à soupe d'huile d'olive
- 2 cuill. à soupe de moutarde à l'ancienne
- le jus de 3 oranges
- 25 g d'amandes effilées
- sel et poivre du moulin

1 Faites cuire les pâtes de 8 à 10 minutes dans une grande casserole d'eau bouillante salée. Détaillez les brocolis en bouquets et ajoutez-les dans l'eau 3 minutes avant la fin du temps de cuisson.

2 Coupez les blancs de poulet en dés de 2 cm de côté, puis écrasez l'ail. Mettez l'huile à chauffer dans un wok ou dans une sauteuse à feu doux et laissez revenir le poulet 5 minutes dans l'huile en remuant régulièrement. Ajoutez l'ail dans le wok, puis prolongez la cuisson de 2 minutes.

3 Dans un bol, mélangez la moutarde avec le jus d'orange et versez le tout sur le poulet. Laissez mijoter à feu doux 1 ou 2 minutes.

4 Faites griller les amandes effilées à sec dans une poêle antiadhésive. Égouttez les pâtes et les brocolis en réservant 3 cuillerées à soupe de l'eau de cuisson, puis incorporez-les au poulet, avec l'eau de cuisson et les amandes grillées. Assaisonnez généreusement et servez.

• Par portion : 531 Calories – Protéines : 43 g – Glucides : 70 g – Lipides : 11 g (dont 1 g de graisses saturées) – Fibres : 6 g – Sel : 0,52 g – Pas de sucres ajoutés.

Contrairement au saumon fumé à froid, le saumon fumé à chaud est cuit en même temps qu'il est fumé. Sa texture est donc particulièrement tendre.

Spaghettis au saumon et aux petits pois

Pour 4 personnes
Préparation et cuisson : 20 min

- 400 g de spaghettis
- 100 g de petits pois
- 150 à 160 g de saumon fumé à chaud
- 20 g de feuilles d'aneth
- 3 cuill. à soupe bombées de crème fraîche
- sel et poivre du moulin

1 Faites cuire les spaghettis 8 à 10 minutes dans une casserole d'eau bouillante salée. Ajoutez les petits pois dans l'eau 3 minutes avant la fin du temps de cuisson.

2 Détaillez le saumon en petits morceaux et hachez l'aneth. Égouttez les pâtes et les petits pois en réservant 4 cuillerées à soupe d'eau de cuisson, puis remettez-les dans la casserole avec l'eau réservée. Incorporez le saumon et l'aneth aux pâtes avec la crème fraîche. Assaisonnez et réchauffez quelques minutes à feu doux, puis servez.

• Par portion : 470 Calories – Protéines : 24 g – Glucides : 77 g – Lipides : 10 g (dont 4 g de graisses saturées) – Fibres : 4 g – Sel : 1,85 g – Pas de sucres ajoutés.

Les pâtes sont un aliment énergétique et rassasiant, elles sont donc indispensables dans ce plat principal végétarien.

Conchiglie et haricots blancs aux légumes

Pour 4 personnes
Préparation et cuisson : 30 min

- 1 petit oignon
- 70 cl de bouillon de légumes
- 2 cuill. à soupe d'huile d'olive
- 2 cuill. à soupe de purée de tomates
- 300 g de légumes croquants (petits pois, maïs, carottes, brocolis, etc.)
- 175 g de conchiglie
- 220 g de haricots blancs à la tomate en conserve
- sel et poivre du moulin

POUR SERVIR

- parmesan râpé en copeaux

1 Hachez finement l'oignon et faites chauffer le bouillon de légumes. Mettez l'huile à chauffer dans une casserole à feu moyen, puis faites frire l'oignon pendant quelques minutes jusqu'à ce qu'il commence à fondre. Ajoutez la purée de tomates dans la casserole, puis incorporez les légumes croquants à la préparation et arrosez l'ensemble de bouillon de légumes chaud.

2 Portez le tout à ébullition, ajoutez les pâtes et mélangez soigneusement. Laissez mijoter à couvert de 12 à 14 minutes, jusqu'à ce que les pâtes soient cuites.

3 Égouttez les haricots, puis incorporez-les au mélange et laissez réchauffer quelques minutes. Salez, poivrez, puis servez chaud avec du parmesan.

• Par portion : 294 Calories – Protéines : 11 g – Glucides : 49 g – Lipides : 7 g (dont 1 g de graisses saturées) – Fibres : 4 g – Sel : 1,58 g – Sucres ajoutés : 2 g.

Si vous aimez l'ail, vous pouvez incorporer deux gousses d'ail hachées à la préparation en même temps que la chapelure.

Spaghettis aux anchois et aux brocolis

Pour 4 personnes
Préparation et cuisson : 35 min

- 350 g de brocolis
- 350 g de spaghettis
- 6 filets d'anchois en conserve
- 2 piments rouges
- 5 cuill. à soupe d'huile d'olive
- 100 g de chapelure
- sel et poivre du moulin

1 Détaillez les brocolis en bouquets, puis émincez leurs tiges. Faites cuire les spaghettis de 7 à 9 minutes dans une grande casserole d'eau bouillante salée. Ajoutez les brocolis dans la casserole et prolongez la cuisson de 3 minutes.

2 Pendant ce temps, égouttez les filets d'anchois et hachez-les, puis épépinez les piments et hachez-les finement. Mettez 3 cuillerées à soupe d'huile à chauffer dans une poêle, et faites frire les anchois et les piments quelques minutes. Ajoutez la chapelure dans la poêle et prolongez la cuisson de 5 minutes en remuant constamment.

3 Égouttez les spaghettis et les brocolis, puis remettez-les dans la casserole. Incorporez les trois quarts de la préparation aux pâtes. Salez, poivrez, puis versez le reste d'huile et parsemez du reste de chapelure aux anchois.

• Par portion : 400 Calories – Protéines : 17 g – Glucides : 78 g – Lipides : 4 g (dont 0,5 g de graisses saturées) – Fibres : 5 g – Sel : 0,8 g – Pas de sucres ajoutés.

Le pois gourmand est une variété de petit pois également appelé pois mangetout, car on consomme sa cosse et ses graines.

Linguine aux crevettes et aux pois gourmands

Pour 6 personnes
Préparation et cuisson : 30 min

- 280 g de linguine
- 200 g de pois gourmands
- 12 tomates cerises
- 1 gros piment rouge
- 2 grosses gousses d'ail
- 2 cuill. à soupe d'huile d'olive
- 24 crevettes tigrées crues décortiquées
- 1 poignée de feuilles de basilic
- sel et poivre du moulin

POUR LA SAUCE

- 2 cuill. à soupe de fromage blanc écrémé
- le jus et le zeste de 1 citron vert non traité
- 2 cuill. à café de sucre blond

POUR SERVIR

- salade verte
- pain croustillant

1 Préparez la sauce. Dans un bol, réunissez le fromage blanc, le sucre, le zeste et le jus de citron, puis mélangez bien le tout. Salez, poivrez et réservez.

2 Faites cuire les linguine de 8 à 10 minutes dans une grande casserole d'eau bouillante salée. Équeutez les pois gourmands et plongez-les dans l'eau 1 minute avant la fin du temps de cuisson. Pendant ce temps, coupez les tomates en deux, puis épépinez le piment et hachez-le avec l'ail. Mettez l'huile à chauffer dans un wok à feu doux, et faites frire l'ail et le piment 30 secondes. Ajoutez les crevettes dans le wok, puis laissez-les cuire 3 minutes à feu vif en remuant. Incorporez les tomates à la préparation et prolongez la cuisson de 3 minutes en mélangeant.

3 Égouttez les pâtes et les pois gourmands, puis transvasez-les dans le wok. Ciselez le basilic au-dessus du wok, puis assaisonnez et mélangez le tout. Servez avec de la salade verte nappée de sauce au citron vert et un peu de pain croustillant.

• Par portion : 333 Calories – Protéines : 32 g – Glucides : 42 g – Lipides : 5 g (dont 1 g de graisses saturées) – Fibres : 3 g – Sel : 0,9 g – Sucres ajoutés : 2 g.

Index

Agneau
Pappardelle et agneau à la sicilienne 56-57
Anchois
Spaghettis aux anchois et aux brocolis 208-209
Aromates
Bœuf stroganov et tagliatelles au persil 66-67
Fusilli aux légumes grillés 104-105
Minestrone d'hiver 180-181
Pappardelle au poulet et à l'estragon 46-47
Penne aux tomates et à l'origan 188-189
Rigatoni aux fèves et au persil 86-87
Rouleaux de printemps aux crevettes 156-157
Tagliatelles et légumes de printemps 78-79
Tortellini aux tomates et au persil 38-39
Asperge
Farfalle au poulet et aux asperges 74-75
Fusilli au saumon et aux asperges 62-63
Nouilles sautées aux asperges
et au poivron 174-175
Œufs au plat et linguine aux asperges 76-77
Aubergine
Gratin d'aubergine à la mozzarella 132-133
Bœuf
Bœuf stroganov et tagliatelles au persil 66-67
Sauce bolognaise 54-55
Soupe de nouilles au bœuf
et aux légumes 154-155
Spaghettis à la sauce bolognaise express 64-65
Brocoli
Farfalle au maïs et aux brocolis 88-89
Farfalle au poulet et aux brocolis 202-203
Gratin de penne au saumon
et aux brocolis 136-137
Lasagnes au saumon et aux brocolis 126-127
Penne au pesto de brocolis 108-109
Spaghettis aux anchois
et aux brocolis 208-209
Spaghettis aux tomates et aux brocolis 84-85
Champignon
Conchiglione farcies aux champignons 120-121
Gratin de tagliatelles au jambon
et aux champignons 122-123
Penne aux champignons et au fromage 50-51
Soupe de nouilles chinoises
aux légumes 162-163
Tagliatelles au chèvre et aux champignons 92-93
Vermicelles sautés aux légumes 168-169
Châtaigne
Poêlée de nouilles de riz sucrée-salée 190-191
Chorizo
Spaghettis au chorizo et aux poivrons 36-37
Chou
Filet de porc et nouilles au bok choï 150-151
Chou-fleur
Gratin de macaronis au chou-fleur
et à la tomate 124-125
Citronnelle
Soupe de nouilles aux crevettes 148-149
Courge
Penne à la courge et aux oignons rouges 96-97
Crevette
Linguine aux crevettes
et aux pois gourmands 210-211
Nouilles chinoises aux crevettes
et aux tomates 198-199
Nouilles sautées et croquettes
de crevettes 164-165
Pad thaï 152-153
Rouleaux de printemps aux crevettes 156-157
Soupe de nouilles aux crevettes 148-149

Épinard
Gratin de rigatoni aux saucisses
et aux épinards 118-119
Lasagnes aux tomates et aux épinards 116-117
Nouilles sautées au poulet
et aux épinards 172-173
Pappardelle aux épinards et au lard grillé 42-43
Penne aux épinards et sauce au bleu 106-107
Rigatoni au poulet et aux épinards 20-21
Soufflé au fromage et aux spaghettis 146-147
Fève
Farfalle aux légumes d'été 194-195
Poulet et tagliatelles aux fèves 60-61
Rigatoni aux fèves et au persil 86-87
Fromage
Conchiglie au potiron et au fromage 82-83
Conchiglie à la tomate et au parmesan 14-15
Conchiglione farcies aux champignons 120-121
Fusilli aux légumes gratinés 138-139
Gratin de macaronis 142-143
Gratin de macaronis aux trois fromages
et au jambon 130-131
Macaronis aux légumes
et au fromage 112-113
Pâtes au brie et au mesclun 18-19
Penne aux champignons et au fromage 50-51
Penne aux épinards et sauce au bleu 106-107
Penne rigate à la feta
et aux légumes grillés 100-101
Rigatoni au chèvre et au poulet 68-69
Soufflé au fromage et aux spaghettis 146-147
Spaghettis aux petits pois
et au fromage 196-197
Tagliatelles au chèvre
et aux champignons 92-93
Fruits de mer
Paëlla aux tagliatelles 72-73
Spaghettis aux palourdes et à la tomate 40-41
Haricot
Conchiglie au brie et aux haricots verts 90-91
Conchiglie et haricots blancs aux légumes 206-207
Nouilles au porc et aux haricots noirs 166-167
Nouilles sautées et croquettes
de crevettes 164-165
Porc sauté et haricots
aux nouilles chinoises 160-161
Jambon
Gratin de macaronis aux trois fromages
et au jambon 130-131
Gratin de tagliatelles au jambon
et aux champignons 122-123
Spaghettis aux petits pois et au jambon 22-23
Légumes
Conchiglie et haricots blancs
aux légumes 206-207
Farfalle aux légumes d'été 194-195
Fusilli aux légumes gratinés 138-139
Fusilli aux légumes grillés 104-105
Lasagnes aux légumes et à la ricotta 140-141
Macaronis aux légumes
et au fromage 112-113
Minestrone express au pesto 12-13
Minestrone d'hiver 180-181
Nouilles sautées au lard
et aux légumes 158-159
Pappardelle aux légumes verts 200-201
Penne rigate à la feta
et aux légumes grillés 100-101
Poêlée de nouilles de riz sucrée-salée 190-191
Potage de poulet aux légumes
et aux nouilles chinoises 186-197
Pot-au-feu de poulet aux nouilles chinoises 182-183
Soupe de nouilles au bœuf
et aux légumes 154-155
Soupe de nouilles chinoises
aux légumes 162-163

Tagliatelles et légumes de printemps 78-79
Tofu sauté aux légumes 176-177
Vermicelles sautés aux légumes 168-169

Lentilles
Spaghettis et sauce aux lentilles corail 94-95

Maïs
Farfalle au maïs et aux brocolis 88-89
Soupe de nouilles au poulet et au maïs 170-171

Mascarpone
Spaghettis au mascarpone et à la roquette 16-17

Menthe
Spaghettis au pesto de petits pois
et de menthe 80-81

Mozzarella
Gratin d'aubergine à la mozzarella 132-133
Gratins de tortellini à la mozzarella 128-129
Spaghettis à la mozzarella
et aux tomates 192-193

Noix
Fusilli au poivron et pesto de noix 98-99

Œuf
Œufs au plat et linguine aux asperges 76-77
Spaghettis à la carbonara 26-27

Oignon
Gratin de macaronis 142-143
Penne à la courge et aux oignons rouges 96-97

Olive
Spaghettis aux tomates
et aux olives noires 114-115

Pesto
Minestrone express au pesto 12-13
Spaghettis au pesto et à la tomate 32-33

Petit pois
Conchiglie aux petits pois et au lard fumé 30-31
Farfalle aux poivrons et aux petits pois 102-103
Nouilles sautées au porc et aux petits pois 178-179
Penne aux saucisses et aux petits pois 58-59
Spaghettis aux petits pois et au fromage 196-197
Spaghettis aux petits pois et au jambon 22-23
Spaghettis au pesto de petits pois
et de menthe 80-81
Spaghettis au saumon et aux petits pois 204-205

Pignon de pin
Mafaldine et filet de porc
aux pignons de pin 48-49
Penne au pesto de brocolis 108-109

Piment
Penne au thon et au piment 24-25

Pois gourmand
Linguine aux crevettes
et aux pois gourmands 210-211

Poivron
Farfalle aux poivrons et aux petits pois 102-103
Fusilli au poivron et pesto de noix 98-99
Nouilles sautées aux asperges
et au poivron 174-175
Poulet et fettuccine au poivron 70-71
Spaghettis au chorizo et aux poivrons 36-37
Trompetti aux poivrons et à la roquette 184-185

Porc
Conchiglie aux petits pois et au lard fumé 30-31
Filet de porc et nouilles au bok choï 150-151
Gratin de rigatoni aux saucisses
et aux épinards 118-119
Lasagnes au porc et à la tomate 134-135
Mafaldine et filet de porc
aux pignons de pin 48-49
Nouilles au porc et aux haricots noirs 166-167
Nouilles sautées au lard et aux légumes 158-159
Nouilles sautées au porc
et aux petits pois 178-179
Pappardelle aux épinards et au lard grillé 42-43
Penne au poulet et aux lardons 10-11
Penne aux saucisses et aux petits pois 58-59
Porc sauté et haricots
aux nouilles chinoises 160-161

Sauce bolognaise 54-55
Spaghettis à la carbonara 26-27
Trompetti à la saucisse et aux tomates 28-29

Potiron

Conchiglie au potiron et au fromage 82-83

Poulet

Farfalle au poulet et aux asperges 74-75
Farfalle au poulet et aux brocolis 202-203
Nouilles sautées au poulet
et aux épinards 172-173
Paëlla aux tagliatelles 72-73
Pappardelle au poulet et à l'estragon 46-47
Penne au poulet et aux lardons 10-11
Potage de poulet aux légumes
et aux nouilles chinoises 186-197
Pot-au-feu de poulet aux nouilles chinoises 182-183
Poulet et fettuccine au poivron 70-71
Poulet et tagliatelles aux fèves 60-61
Rigatoni au chèvre et au poulet 68-69
Rigatoni au poulet et aux épinards 20-21
Soupe de nouilles au poulet et au maïs 170-171

Ricotta

Cannellonis maison à la ricotta 144-145
Lasagnes aux légumes et à la ricotta 140-141
Tagliatelles à la roquette et à la ricotta 110-111

Roquette

Spaghettis au mascarpone
et à la roquette 16-17
Spaghettis au saumon et à la roquette 52-53
Tagliatelles à la roquette et à la ricotta 110-111
Trompetti aux poivrons et à la roquette 184-185

Salade

Pâtes au brie et au mesclun 18-19

Saumon

Fusilli au saumon et aux asperges 62-63
Gratin de penne au saumon
et aux brocolis 136-137
Lasagnes au saumon et aux brocolis 126-127
Spaghettis au saumon et aux petits pois 204-205
Spaghettis au saumon et à la roquette 52-53

Soja

Pad thaï 152-153

Thon

Linguine au thon et à la tomate 44-45
Pâtes au thon à la niçoise 34-35
Penne au thon et au piment 24-25

Tofu sauté aux légumes 176-177

Tomate

Cannellonis maison à la ricotta 144-145
Conchiglie au brie et aux haricots verts 90-91
Conchiglie à la tomate et au parmesan 14-15
Conchiglione farcies aux champignons 120-121
Gratin de macaronis au chou-fleur
et à la tomate 124-125
Gratins de tortellini à la mozzarella 128-129
Lasagnes au porc et à la tomate 134-135
Lasagnes aux tomates et aux épinards 116-117
Linguine au thon et à la tomate 44-45
Nouilles chinoises aux crevettes
et aux tomates 198-199
Pappardelle et agneau à la sicilienne 56-57
Pappardelle aux légumes verts 200-201
Pâtes au thon à la niçoise 34-35
Penne aux tomates et à l'origan 188-189
Sauce bolognaise 54-55
Spaghettis à la mozzarella
et aux tomates 192-193
Spaghettis aux palourdes et à la tomate 40-41
Spaghettis au pesto et à la tomate 32-33
Spaghettis à la sauce bolognaise express 64-65
Spaghettis et sauce aux lentilles corail 94-95
Spaghettis aux tomates et aux brocolis 84-85
Spaghettis aux tomates
et aux olives noires 114-115
Tortellini aux tomates et au persil 38-39
Trompetti à la saucisse et aux tomates 28-29

Crédits photographiques

L'éditeur remercie les personnes suivantes pour l'avoir autorisé à reproduire leurs photographies. En dépit de tous ses efforts pour lister les copyrights, l'éditeur présente par avance ses excuses pour d'éventuels oublis ou erreurs, et s'engage à en faire la correction dès la première réimpression du présent ouvrage.

Marie-Louise Avery p. 17, p. 151 ; Iain Bagwell p. 125, p. 165, p. 177 ; Steve Baxter p. 137, p. 175 ; Martin Brigdale p. 53, p. 75, p. 133 ; Jean Cazals p. 157 ; Ken Field p. 11, p. 13, p. 35, p. 45, p. 59, p. 67, p. 91, p. 105, p. 109, p. 145, p. 179, p. 189, p. 199 ; Dave King p. 123 ; William Lingwood p. 41, p. 111 ; David Munns p. 15, p. 25, p. 31, p. 71, p. 117, p. 149, p. 161, p. 173, p. 181, p. 201 ; Myles New p. 99, p. 103, p. 147, p. 211 ; Juliet Piddington p. 19, p. 163 ; Craig Robertson p. 61, p. 139, p. 141 ; Howard Shooter p. 101, p. 155 ; Simon Smith p. 43, p. 55 ; Roger Stowell p. 23, p. 29, p. 33, p. 37, p. 47, p. 57, p. 65, p. 69, p. 73, p. 77, p. 93, p. 95, p. 107, p. 129, p. 131, p. 143, p. 153, p. 159, p. 167, p. 183, p. 187, p. 197, p. 203 ; Sam Stowell p. 207 ; Simon Wallon p. 185, p. 191, p. 193, p. 195 ; Cameron Watt p. 83 ; Philip Webb p. 39, p. 51, p. 63, p. 85, p. 87, p. 113, p. 169, p. 171 ; Simon Wheeler p. 27, p. 49, p. 81, p. 97, p. 115, p. 119, p. 121, p. 127, p. 135, p. 205, p. 209 ; Jon Whittaker p. 21, p. 89 ; Peter Williams p. 79.

Toutes les recettes de ce livre ont été créées par l'équipe de BBC Good Food magazine.

Imprimé en Espagne par Cayfosa
Dépôt légal : janvier 2011 – 305837/01 – 11013252 novembre 2010